KB141485

서동용의
마로현 편지

서동용의
마로현 편지

서동용 지음

한스컨텐츠

바람이 불어야 꽃이 핀다

10년 전 늦은 봄 아파트 베란다에서 수련 키우기를 시도한 적이 있습니다. 평소 화초를 키우거나 화단을 가꾸는 고상한 취미의 소유자는 아니지만 모 대학에 있는 교수 친구를 만나러 갔다가 학교 내 작은 연못에 핀 수련을 보고 갑자기 혹한 마음이 들어 베란다에서 수련을 키워볼 요량으로 큰 대야와 마사토를 사들고 수련 가꾸기에 도전을 했습니다.

수련의 꽃을 보려면 햇볕이 중요하다고 합니다. 온도 관리를 잘하고 햇볕을 충분히 공급하면 가을까지 꽃을 볼 수 있다고 하더군요. 저는 베란다에서 가장 햇볕이 잘 드는 곳에 수련을 놓아두었습니다. 얼마 지나지 않아 수련에 꽃봉오리가 맺혔습니다. 저는 꽃을 보면 주변에 자랑할 요량으로 베란다 정리며 청소까지 수선을 떨었습니다. 수련 옆에 새시 고장으로 늘 반쯤 열려 있던 창문도 고쳤지요.

그런데 그날 이후로 수련 봉오리가 침묵을 하더군요. 역시 초짜에게 한 번에 이런 행운이 올 리가 만무하다며 포기를 하고 있었는데 어느 날 아침 하얀 수련 꽃이 활짝 피어 있는 게 아니겠습니까? 저는 마음을 걸어 잠근 수련이 어떤 연유로 그 속내를 보여주게 되었는지 살피다가 수련 옆 베란다 창문이 열려 있는 것을 발견하게 되었습니다. 우연히 아들아이가 열어놓은 창문 덕에 바람이 들어오면서 닫혔던 수련의 마음을 활짝 열어놓은 것입니다. 서울의 미세먼지와 탁한 공기에도 바람이 절실했던 것이었습니다.

저는 바람을 생각했습니다. 꽃을 피울 수 있는 바람의 힘을 생각했습니다. 좋은 토양과 햇볕이 수련에서 봉오리를 돋게 했다면 창문 틈으로 불어오는 바람의 힘이 수련을 아름다운 꽃으로 결실을 맺게 했습니다.

지금 우리에게는 바람이 필요할 때입니다. 바람은 변화입니다. 그 자리에 고여 있어 이제는 우리에게 더 이상 성장의 희망을 주지 못하는 낡고 썩은 것들을 날려 보내는 힘입니다.

그 바람만이 꽃이 새로운 씨를 잉태하게 할 수 있습니다. 저 서동용은 한 줌의 작은 바람이지만 여러분 안에 존재하는 수많은 씨앗들은 대한민국의 미래입니다.

바람이 불어야 꽃이 핍니다. 여러분의 바람이 되겠습니다.

차례

1

한국 정치, 이대로는 안 됩니다!

첫걸음을 떼며

불면의 밤을 거듭하며 고민하고 또 고민했습니다. 먼저 제 마음속을 차분히 들여다보아야 했습니다. 스스로 물었습니다. '왜 정치를 하려고 하는가? 국회의원이 되어 출세하고 싶은 욕망을 그럴듯하게 포장하지는 않았는가? 내가 과연 잘할 수 있을까? 초심을 잃고 변질되지 않을 자신이 있는가?' 그리고 가까운 분들에게 깊은 속내를 털어놓고 의논하기를 여러 차례 했습니다.

고민과 의논이 깊어질수록 제 결심은 더 견고해졌습니다. 이것이 하늘이 제게 부여한 소명이라는 확신이 일었습니다. 저는 제 결심을 글을 통해 전하고자 했습니다. 다음은 제가 2015년 2월, '마로현 편지 제1호'라는 이름을 붙여 정치의 길로 나서고자 하는 제 심경을 담아 보낸 것입니다.

찬바람이 옷깃 사이로 파고드는 2월입니다. 겨울도 이제 막바지여서 남쪽 마을 어디선가 꽃소식이 들려올 것만 같습니다. 봄이 멀지 않았습니다.

안녕하십니까, 서동용입니다! 요즘 하루하루 살아가기 어떠십니까? 일터에서, 가정에서 즐겁고 희망차게 지내고 계신가요? 먹고살기 힘들고 짜증도 많이 난다고 하시는데, 내일은 조금이라도 나아지겠지 위로하고 기대하며 살고 계시지는 않으신지요? 웃을 일, 즐거운 일도 있지만, 그보다는 가슴 아프고 답답한 소식이 참 많이도 들려옵니다.

주머니는 자꾸 가벼워지는데 물가는 속절없이 오르고, 전셋값, 아파트값 때문에 집 걱정, 빚 걱정은 쳐져갑니다. 정부가 중산층·서민층에게 세금 더 걷기로 하는 바람에 월급쟁이들 지갑이 더 얇아졌습니다. 자식들 다 키워놨더니 취직은 안 되고, 어른은 어른대로 불안한 일자리에 앞으로 남은 노후를 어떻게 버텨야 할지 모르겠다는 분들이 많습니다. 오래전부터 경기가 안 좋아 장사하시는 분들 한숨도 늘었습니다. 가난을 견디지 못하고 세상을 등진 '송파 세 모녀' 같은 가슴 아픈 소식이 끊이지 않습니다.

세월호 참사의 충격과 슬픔은 아직도 그대로인데 대형사고, 흉폭한 사건이 자고 나면 뉴스를 도배합니다. 나와 내 가족은 무사

할까? 생명과 안전을 위협받고 있는 대한민국 국민들은 오늘도 가슴을 졸입니다. 북한과 대치하고 있는 분단 현실로 인해 생기는 긴장과 불안도 여전합니다. 돈이면 다 된다는 생각으로 부정부패가 심해지고, 상식을 지키며 평범하게 사는 사람들이 억울하게 당하는 일도 잦아졌습니다.

"도대체 정부와 정치는 무엇 하나?" 이런 얘기를 많이들 하십니다. 국민의 고통과 불안을 덜고 희망을 주기는커녕 정부와 정치의 오만과 독선, 무능과 탐욕이 온 나라를 뒤흔들고 있습니다. 피땀으로 되찾고 소중히 일궈낸 민주주의의 길을 역주행하고 있습니다. 도대체 대한민국에 국가와 정부와 정치가 존재할 이유가 무엇인가? 답답한 마음에 누구한테든 한번 물어보고 싶습니다.

'이건 아니지 않은가!' 참 많은 생각이 들었습니다. 국민의 한 사람으로서, 가족에게는 남편과 아빠로서, 약자를 배려하고 정의를 바로잡는 일을 업으로 삼아온 변호사로서 여러 가지 생각을 했습니다.

오랫동안 고민한 끝에 결심했습니다. '불안하고 답답하고 가슴 아픈 세상을 바꾸는 데 서동용이 작은 밀알이 되어보자!' '억울한 사람 돕는 변호사로 살아온 서동용이 정의롭지 못한 대한민국 사회를 고치는 정치인으로 나서보자!'

제가 이런 결심을 하게 된 결정적인 동기는 지난해 세월호 참사였습니다. 눈에 넣어도 아프지 않을, 내 자식 같은, 그것도 300명이 넘는 아이들을 태운 배가 눈앞에서 가라앉는 모습을 보았습니다. 정부가 이 아이들을 한 명도 구하지 못하는 모습을 보았습니다. 정치가 세월호 참사의 진실을 규명해내지 못하는 현실을 참담한 심정으로 지켜보았습니다.

대한민국 국민이라면, 자식 가진 부모라면 누구라도 그러했듯이 저 역시 눈물을 참을 수 없었습니다. 분노를 견딜 수 없었습니다. '이건 아니다, 정말 이건 아니다, 바꿔야 한다! 그런데 서동용 네가 무엇을 어떻게 바꿀 수 있나?' 혼자 이 말을 무수히 삼켰습니다.

광장에 나가 촛불을 들어도 보고 며칠 밤을 술로 지새우기도 했습니다. 고심 끝에 결심했습니다. 정치를 바꾸는 것이 세상을 바꾸는 길이다, 그것이 가장 확실하고 제일 올바른 방법이다!

제가 대학을 졸업하고 노동운동을 하다 변호사의 길을 선택하게 된 변곡점이 된 사건은 지난 1994년 성수대교 붕괴 참사였습니다. 김영삼 정권 시절, 사람이 아니라 돈만을 최고로 여겼던 정치와 정부, 그리고 한국 사회의 총체적 부패와 무능이 성수대교를 무너뜨렸습니다. 수많은 사람이 희생됐습니다. 그리고 꼭 20년 만에 똑같은 원인으로 세월호가 침몰했습니다.

정치가 바뀌어야 합니다. 정치가 바뀌면 무능하고 부패한 정부도 바꿀 수 있습니다. 정치와 정부가 바뀌면 한국 사회도 바뀝니다. 이렇게 허망하게 우리 아이들을 배 안에 가둬 죽게 하지 않을 수 있습니다. 우리 이웃이, 우리 국민이 가난 때문에 가족과 함께 목숨을 끊는 일은 막을 수 있습니다.

집값, 전셋값 때문에 서민들이 빚더미에 올라앉고, 아이들이 입시지옥에 시달리고, 청년들이 취직을 못 해 거리를 헤매고, 직장인이 하루아침에 회사에서 쫓겨나고, 비정규직이라는 이유로 차별받고, 수많은 자영업자가 돈벌이에 허덕이고, 퇴직자와 노인들이 빈곤과 고독에 내몰리도록 내버려두지 말아야 합니다.

부자와 가난한 자, 대기업과 중소기업의 격차가 너무 크게 벌어지지 않도록 하고, 같은 나라 국민들이 호남 출신이니 영남 출신이니 지역주의로 싸우지 않도록 하고, 정부가 무능하고 부패하지 않도록 하고, 정치가 여야와 계파 간 싸우지 않도록 하고, 남북한이 긴장과 위기와 파국이 아닌 평화와 공동 번영의 길로 가도록 바꿔야 합니다. 그래야 대한민국 국민들이 희망을 찾을 수 있습니다. 그래야 대한민국이 지속가능한 공동체 사회로 자리 잡을 수 있습니다.

깨어 있는 시민으로, 성실하고 정의로운 변호사로 제 일을 다 하면 되는데 왜 굳이 정치판에 뛰어들려 하느냐는 분도 계십니다. 그럴 수 있습니다. 저는 그동안 인권 변호사로 민주사회를 위한 변호사회(민변)에서 진심과 열정을 품고 활동했습니다.

세월호 참사가 터지고 난 뒤에는 촛불집회에도 열심히 나갔습니다. 하지만 '2%'가 부족했습니다. 더 채워지지 않는 무엇이 있었습니다. 촛불을 들고 단식투쟁을 하는 것도 큰 의미가 있지만, 국회의원이 되어 세월호 특별법을 만드는 협상에서 제 역할을 다한다면 세월호 유가족에게 더 큰 힘이 되고 더 의미 있는 결과를 만들어낼 수 있다고 생각합니다. 정치는 시민들의 촛불과 단식투쟁이 다 하지 못하는 더 큰일을 해낼 수 있습니다. 법을 만드는 국회의원은 법을 다루는 변호사보다 더 많은 일을 할 수 있는 책임과 권한을 갖고 있습니다.

왜 서동용이냐? 네가 하면 정치 잘하겠느냐? 이렇게 묻는 분도 계십니다. 많은 훌륭한 정치 선배들이 계십니다. 저보다 더 잘할 수 있는 분도 많습니다. 저는 그런 분들을 존경합니다. 하지만 그렇지 못한 정치인들도 있습니다. 지역과 정당에 안주해 자리만 차지하고 있는 정치인들이 있습니다. 패거리, 당파, 사리사욕, 지역주의, 나태와 부패와 오만과 불통에서 벗어나지 못한 정치인들이 많습니다. 이런 정치인들은 국민의 눈물을 닦아주지도, 고통을 덜어줄 수도 없습니다. 세상을 바꾸지 못합니다. 이런 정치인 때문에 한국 정치가 욕을 먹고 있습니다. 저는 그런 정치를 하지 않겠습니다. 진정성 있는 정치, 국민에게 감동을 주는 정치를 하겠습니다.

'직업으로서 국회의원'은 저의 꿈이 아닙니다. 국회의원을 '직업'으로 생각한다면, 지금 굳이 그렇게 할 이유가 없습니다. 직업으로는 제가 지금 하고 있는 변호사가 국회의원보다 나쁘지 않습니다. 투자 대비 효율 면에서도 그렇습니다.

출세하려고 국회의원이 되겠다는 게 아니라는 말씀입니다. 출세라는 '사적 욕망'보다 제 머리와 가슴 속에는 더 큰 욕망이 있습니다. '공적 욕망'입니다. 정치란 권력을 통해 국민의 행복과 복리를 증진시키는 것을 목적으로 하는 행위라고 합니다. 저는 개인적 출세를 위한 직업으로서 국회의원이 아니라, 국민에게 감동과 행복을 주는 정치인으로서 국회의원이 되고 싶다는 '공적 욕망'이 있습니다.

오늘 이렇게 첫 편지를 쓰는 동안 제 가슴에는 큰 파도가 일렁이는 느낌이 듭니다. 큰일을 제대로 해보겠다고 말씀드리고 약속하는 글이니 무거운 책임감이 느껴집니다. 사람 나이 50이면 지천명(知天命)이라더니, 하늘이 제게 주신 소명을 이제야 찾은 것 같아 한편으론 다행이고 그래서 자신감도 더 생깁니다.

얼굴 뵙고 인사부터 드려야하는데, 우선 글로 찾아뵙는 점 너그러이 용서해주시길 부탁드립니다. 앞으로 저를 아껴주시는 좋은 분들께 제 생각과 희망을 담은 편지를 보내드리려 합니다. 제가 잘못 생각하고 있다면 비판과 질책을 주십시오. 잘하고 있으면 칭찬과 격려도 아끼지 말아주십시오.

쌀쌀한 날씨에 건강관리 잘하시고, 또 뵙겠습니다. 감사합니다.

서동용 올림

가치의 정치를 향해

정치의 길로 들어서겠다는 결단을 담은 서신을 드리자, 많은 분들께서 관심과 의견을 주셨습니다. 적극 권하는 분도 계시고 뜯어말리는 분도 계셨지만 진심으로 저를 응원하고 염려하는 데에는 모두 한마음이셨습니다. 그리고 모두 저와 마찬가지로 대한민국이 행복한 나라가 되고 정치가 바로서기를 염원하는 뜻을 지니고 계셨습니다.

제 주위에 이렇게 훌륭한 분들이 많이 계시며 하나같이 저를 아껴주신다는 것을 몸으로 느끼며 한없이 행복했습니다. 그리고 제가 꿈꾸는 정치에 대해 좀 더 구체적으로 이야기하고 싶은 마음이 들었습니다. 그래서 제가 숙고해서 정리한 정치의 이상을 담아 두 번째 편지를 썼습니다. 그것은 '가치의 정치'로 요약

할 수 있습니다. 자세한 내용은 이 책 곳곳에서 구체적으로 풀어나갈 것입니다. 이번에는 '마로현 편지 제2호'라는 이름으로 보낸 글을 그대로 소개하겠습니다.

안녕하십니까? 서동용입니다.

며칠 전 첫 번째 '마로현 편지' 보내드리고 혼자 맘이 설레었습니다. 제가 정치를 하겠다는 편지에 깜짝 놀란 분들이 연락을 참 많이 주셨습니다. 정치 그거 쉽지 않을 텐데 무엇 하러 힘든 길을 가려느냐고 걱정하시는 분들도 계셨고, 네가 잘 좀 해서 대한민국 정치 한번 바꿔보라는 응원과 격려도 많았습니다.

모두 저를 아껴주시고 대한민국 정치와 미래를 걱정해주시는 분들이셨습니다. 고맙습니다. 변호사의 인생을 걷다 이제 정치인의 길을 가려고 제가 그 출발선에 섰습니다.

세상일이란 게 하고 싶다고 해서 다 되는 것도 아니고, 하기 싫다고 안 할 수 있는 것도 아닙니다. 하지만 해야 할 일은 해야 한다고 믿고 살아왔습니다. 하고 싶은 일이 있고 또 그 일을 해야 한다면, 저는 어떤 어려움이 있더라도 그 일을 할 것입니다. 제 소신입니다.

저는 꼭 하고 싶은 일 그리고 해야 할 일이 있습니다. 그 일을 정치를 통해서 이뤄내겠습니다.

첫째, '가치의 정치'를 실현하겠습니다.

대한민국에는 돈과 권력을 좇는 정치인이 아니라 '좋은 가치'를 좇는 정치인이 필요합니다. 국민들은 이제 돈과 권력만을 추구하는 정치에 질렸습니다. 돈·권력만 좇으며 온갖 비리를 저지르고도 선거 때만 되면 국민들에게 손을 벌리는 정치인들에게는 더 기대할 게 없습니다. 세월호 참사는 돈이면 뭐든지 할 수 있다는 이런 구태의 정치가 낳은 비극 아닙니까? 이번 국무총리 인사 청문회를 비롯해 고위 공직자들의 인사철마다 온갖 추악하고 부끄러운 비리와 부패가 세상에 드러나는 것도 바로 이런 이유 아닙니까?

사람이 살아가는 세상에 돈도 필요하지만 돈보다 더 중요한 것이 있습니다. '가치'입니다. 생명의 가치, 배려의 가치, 신뢰와 존중의 가치, 인권의 가치, 평화와 평등의 가치, 화해와 소통의 가치, 더불어 사는 공동체의 가치, 민주주의의 가치……. 이런 가치는 돈의 가치보다 백배 천배 소중합니다. 사람을 사람답게 만들고, 대한민국을 더 이상 실망이 아닌 희망의 지속가능 사회로 만들어 나가는 게 바로 '가치'입니다.

'가치'가 무너지면 행복도, 안전도, 경제도 흔들립니다. 1998년 우리나라가 IMF 사태로 국가 부도를 맞은 것도 따지고 보면 '가치'보다는 돈만 좇는 재벌 기업과 금융, 정치, 정부의 후진적 사회 시스템 탓이었습니다. 성수대교가 무너지고 세월호가 침몰해 수많은 국민들이 목숨을 잃은 것도 마찬가지 이유입니다.

공정하고 투명한 사회 시스템과 정부에 대한 신뢰라는 '가치'가 없으면 경제성장도 어렵다는 게 경제학자들의 하나같은 충고입니다. 선진국 국민들이 일상을 안전하고 윤택하게 살아갈 수 있는 것은 이미 이런 '가치'들이 지켜지고 있기 때문입니다. 저는 정치를 통해 대한민국에 이런 '가치'들을 하나하나 회복시키고 실현해 나가겠습니다.

출세욕으로 국회의원 해보겠다는 것 아닙니다. 직업으로서 돈이나 출세라면 지금의 변호사가 국회의원보다 그리 나쁘지 않습니다. 정치를 통해 제가 해야 할 일, 이루고 싶은 가치를 실현하겠습니다.

둘째, '가치의 정치'를 통해 대한민국 경제도 바꾸겠습니다.

우리 경제는 늘 위기라고 합니다. IMF사태 이후에도 크고 작은 위기가 늘 따라다닙니다. 2015년 지금도 우리 경제는 위기라고 합니다. 왜 늘 위기일까요? 바로 경제의 '체질' 때문입니다. 성장만 외쳐온 정부와 기업 때문입니다.

우리나라 경제는 더 이상 GDP(국내총생산)로만 평가해서는 안 됩니다. GDP가 아무리 커도 그것이 국민들의 행복을 보여주지도, 지속가능한 경제를 보장하지도 않습니다. 과도한 GDP 성장(경제성장)은 오히려 거품을 만들고 거품 경제는 경기 침체를 불러와

중산층과 서민들만 고생하게 됩니다. 정치가 이런 경제를 바꿔나가야 합니다.

경제성장을 이끄는 것은 기업과 노동자이지만, 경제가 잘 굴러가도록 법과 제도를 만드는 것은 정치입니다. 한국 경제는 이제 과도한 수출 주도형의 '성장 중심 경제'가 아니라 튼튼한 내수가 뒷받침해주는 안정된 경제로 바꾸어야 합니다. 그래야 흔들리지 않습니다. 만년 위기에서 벗어날 수 있습니다.

1인당 국민소득 2만 달러 이상인 대부분의 선진국 경제가 바로 이런 경제입니다. 우리나라는 이미 2007년에 1인당 국민소득이 2만 달러가 넘었지만 여전히 (고)성장만을 좇는 성장 중심 경제를 따라가고 있습니다. 이런 경제로는 위기 탈출은커녕 지속가능한 성장을 이룰 수 없습니다.

저는 한국 경제가 성장도 하고 그 결실이 대기업만이 아니라 국민 모두에게 돌아가고 이를 통해 다시 내수가 튼튼히 뒷받침되는 '선순환 경제'를 만들어가야 한다고 생각합니다.

자본과 노동, 정규직과 비정규직, 대기업과 중소기업이 함께 혜택을 나누고 누리는 경제, 수출과 내수가 함께 성장하는 경제, 제조업과 서비스업이 고루 발전해 좋은 일자리를 더 많이 만들어내는 경제, 좋은 일자리 창출로 국민들의 소득이 더 많이 늘어나는 경제가 되도록 하겠습니다. 이런 경제가 되도록 법과 제도를 만드는 그런 정치인이 되겠습니다.

셋째, 남북한의 평화가 경제도 살립니다.

남북이 군사적 대치 중인 한반도에서 평화란 단지 군사·외교·국제정치 영역의 문제만이 아닙니다. '경제의 문제'입니다. 평화는 남북 간의 긴장 완화와 전쟁이 벌어지지 않는 외교 안보상 또는 정서상의 상태라는 점에서도 의미가 크지만, 우리나라의 지속 가능한 경제와 경쟁력 있는 성장 동력을 위해서도 매우 중요한 문제입니다.

한국 경제는 지금 성장 동력 저하, 양극화, 저출산·고령화, 일자리 부족, 장기 침체 등 어렵고도 수많은 난제와 맞닥뜨려 있습니다. 남북 간의 평화·교류 협력 그리고 나아가 통일의 과정은 이런 난제를 한꺼번에 풀어줄 돌파구가 될 것이라는 데 국내외 수많은 전문가들의 의견이 모이고 있습니다.

남과 북이 손잡고 경제 특구를 만들고, 남쪽의 자본과 기술 그리고 북쪽의 풍부한 자원과 노동력이 결합한다면 우리 경제는 새로운 차원으로 도약할 수 있습니다. 북한 자체가 우리에게 큰 시장이기도 합니다.

남북한이 평화를 지켜내며 경제적 교류 협력을 넓혀간다면, 아마 우리나라 경제는 지금보다 훨씬 높은 성장을 이뤄내고 경기가 빠른 시간에 회복될 것입니다. 주변 여러 나라들이 부러워할 그런 경제를 이뤄낼 것입니다.

남북 관계를 자꾸 악화시키고 종북몰이로 정치적 이득을 얻으려는 짓을 해서는 안 됩니다. 한반도에 평화를 정착시키고 남과 북이 가진 자원, 노동력, 기술을 나누고 활용해 이를 경제 발전과 번영을 위해 활용해야 합니다. 평화와 남북 교류는 그래서 중요합니다. 정치가 이 일을 해야 합니다. 이런 일을 해낼 정치인이 필요합니다.

제대로 된 정치를 통해서 우리 아이들이 제대로 된 나라에서 행복하고 풍요롭게 살 수 있는 세상을 만들어보겠습니다. 고향에 계신 어르신들이 좀 더 넉넉하고 존경도 받으면서 외롭지 않게 사는 나라, 우리 가족과 이웃들이 안전하게 살 수 있는 그런 나라를 만들어나가겠습니다.

제가 정치를 하면 무엇을 하려는지 설명하다 보니 편지가 길어졌습니다. 앞으로 차근차근 더 많이 말씀드리고 이야기 나누겠습니다. 잘못된 생각이 있으면 꾸짖어주시고, 더 좋은 생각이 있으면 거리낌 없이 전해주십시오. 귀담아듣겠습니다.

또 인사드리겠습니다. 건강하십시오.

서동용 올림

어디까지 추락할 것인가?

찬바람이 옷깃을 파고들기 시작하던 무렵 제 마음속 깊은 곳에도 혹독한 냉기가 스며들었습니다. 심장이 얼어붙는 것 같았습니다. 슬픔이 분노가 되고 분노가 다시 슬픔으로 변했습니다. 이 지경이 될 때까지 무엇을 했는지 자괴감이 생겨 일이 손에 잡히지 않았습니다. 제대로 먹지도, 잠들지도 못하고 멍하게 허공을 바라보곤 했습니다.

2015년 11월 14일 서울 광화문에서 열린 민중총궐기대회에서 68세의 농민 백남기 선생이 살인적 시위 진압으로 중태에 빠졌다는 소식을 들은 후에 생긴 일입니다. 그 시각 광양에 있었던 저는 함께 시위 현장에 있지 못한 것을 몹시 자책했습니다.

'경제 논리에 밀려나는 우리 쌀을 지키기 위해 서울로 나왔다'는 시민에게 최루액을 섞은 물대포를 쏘고, 그것도 모자라 쓰러져 의식을 잃은 뒤에도 집요하게 쏘는 장면을 보면서 분노가 치밀었습니다. 또 시위 때면 으레 발생하는 살인적 진압을 막지 못하는 정치 현실에 한없는 슬픔과 함께 무력감을 느꼈습니다.

시위 진압 과정에서 시민이 사망하거나 중상을 입는 일은 정권의 도덕성과 정당성이 훼손될 수도 있는 큰 사건입니다. 그래서 군사정권 시절의 독재자들도 이것을 두려워했었습니다. 하지만 현재 대통령과 정부는 뻔뻔하기 그지없습니다. 중상을 입은 분을 걱정하고 위로하며 사과하기는커녕 '폭력 시위' 운운하며 적반하장의 모습을 보였습니다.

대통령이 시위에 참여한 사람들을 테러 집단 IS에 빗대었을 때는 제 청력을 의심했습니다. 그건 상식을 지닌 사람이면 모두 마찬가지였을 겁니다. 보수적인 논조로 유명한 미국의 경제 전문지 《월스트리트저널》의 한국 지부장조차도 이 상황을 당최 이해할 수 없었던 모양입니다. 그는 자신의 트위터에 "한국 대통령이 마스크를 쓴 자국의 시위대를 IS에 비유했다. 진짜다(South Korea's president compares local protestors in masks to ISIS. Really)"라고 썼습니다. 다른 사람이 믿지 않을까봐 "진짜다(Really)"라고 덧붙이기까지 했습니다.

한국 민주주의 현실을 가장 적절하게 표현하는 단어가 '입헌

공주제'라는 자조 섞인 농담을 들었습니다. 여당 원내대표가 대통령 심기에 거슬린다고 쫓겨나고 《조선일보》조차도 '여왕과 공화국의 불화'라는 제목의 칼럼을 게재할 정도니 상황의 심각성은 더 말할 나위도 없을 겁니다.

한국 정치는 어디까지 추락해야 할까요? 민주주의와 인권은 항상 앞으로 나아가고 더 발전하는 것인 줄로만 알았건만, 수많은 피를 흘리며 일구고 지키며 키워온 대한민국 민주주의와 인권이 퇴행의 나락에 빠졌습니다. 어떻게 이런 일이 일어날 수 있는지 참담할 따름입니다.

퇴행은 역사 교과서 국정화 시도에서도 적나라하게 드러났습니다. 여당 관계자조차도 이것이 아버지의 친일과 독재를 미화하려는 대통령의 왜곡된 효심에서 비롯된 것임을 잘 알고 있습니다. 이런 일에 정부와 여권이 앞장선다는 건 잘못되어도 한참 잘못되었습니다.

대통령은 오랫동안 염두에 둔 '올바른 역사관 확립' 계획을 이따금 내비치다가 2014년 왜곡과 오류투성이의 교학사 교과서로 그 계획을 실행에 옮기려 했습니다. 하지만 채택률이 0%에 그치자 아예 국정화를 하겠다고 나선 것입니다.

국정 교과서를 만들겠다는 사람들은 특정 이념에 치우치지 않는 객관적인 교과서를 내놓겠다고 합니다. 과연 그게 가능할까요? 방대한 역사의 모든 것을 하나하나 빠짐없이 기록하는 것은 물리적으로 불가능합니다. 따라서 이념과 가치관에 따라 중요하다고 '판단'한 것을 '선별'해서 '정리'하고 그에 대한 '해석들'을 덧붙일 수밖에 없습니다.

예를 들어 친일파 후손에게는 3·1운동과 위안부 같은 주제보다는 근대화 같은 식민 지배의 긍정적 측면이 더 중요하게 생각될 것이고 그것을 강조하려 할 것입니다. 같은 맥락에서 박근혜 대통령에게는 인권과 민주주의의 가치보다는 그것을 희생해 가며 이룬 경제성장이 더 중요하기에 새마을운동, 경부고속도로 건설 같은 내용을 부각하고 싶을 것입니다. 하지만 반대의 가치관을 지닌 사람들은 강조점과 관점이 완전히 다를 것입니다. 이렇게 본다면 어느 정도 균형 잡힌 역사책은 있을지 몰라도 완벽하게 중립적이며 순수한 역사책이란 애초에 불가능한 것임을 쉽게 알 수 있습니다.

한국사 교과서 국정화에 대해 대다수 시민들이 분노하는 이유는 크게 세 가지입니다. 첫째, 시민들 대다수가 민주주의와 인권에 대한 감성지수가 높기 때문입니다. 기존의 검인정 교과서들에서 대체로 공유되어 온 민주주의의 가치를 축소하고 친일, 독재, 무분별한 경제 개발의 가치를 우선시하는 교과서를 만들려는 시도와 그 내용에 불편함과 분노를 느끼고 있습니다. 둘째,

국정 한국사 교과서의 미리보기 판이라 할 수 있는 교학사 교과서가 좌우를 막론한 역사학자들에게서 수많은 오류, 표절이 있다는 문제 제기를 당함으로써 이념을 떠나 기초적인 신뢰성도 보여주지 못했기 때문입니다. 더욱이 위안부, 4·3사건, 광주항쟁 등에 대한 서술에서는 입장에 따른 서술 차이를 보인 것을 넘어 교묘한 서술로 사실관계를 호도했다는 점에서도 불신을 자초했습니다. 게다가 국정화 교과서를 단시일 내에 무리하게 강행하려는 계획이어서 신뢰하기가 더더욱 어렵습니다. 가장 중요한 세 번째 이유는 국정화를 통해 역사 기술과 해석을 독점하려 하는 시도 때문입니다. 말씀드렸듯이 완벽히 객관적인 역사책이란 없습니다. 따라서 최대한 다양한 목소리를 반영한 여러 역사 교과서가 있어야 하고, 또 역사학자들이 공통으로 인정하는 사실은 무엇이고, 또 서로 논쟁하는 쟁점들은 무엇인지를 가감 없이 보여주는 교과서가 다양하게 존재해야 합니다.

박근혜 대통령은 '올바른 역사관'을 이야기하지만 실상은 '이념 편향적 역사관'만이 존재할 뿐입니다. 다만 그 이념이 누군가에는 민주주의, 인권, 평화, 공동체적 가치이고 누군가에는 독재와 무조건적 경제 개발입니다. 전자에게는 민주주의가 '올바른' 것이고 후자에게는 독재와 성장이 '올바른' 것입니다. 과연 어떤 역사관이 올바른지, 정의로운지를 판단하는 것은 독자인 우리

학생들이 역사 시간에 공부하고 토론하고 논쟁하면서 스스로 결정할 사안입니다. 그런 점에서 역사 교과서 국정화는 이 권리를 빼앗는 행위입니다.

교과서를 연구하는 학자들은 민주주의 발전은 교과서 제도에 직접적인 영향을 끼친다고 합니다. 그리고 교과서 제도가 그 사회의 민주주의 수준을 드러내는 지표가 되기도 한답니다. 교과서는 민주주의 발전 정도에 따라 국정(국가가 직접 제작), 검인정(국가가 제시한 지침에 따라 출판사가 제작하고 각 학교가 선택), 인정(출판사가 자율적으로 제작한 것을 국가가 심의), 자유발행(교과서 제작과 선택에 제한이 없음)으로 진행하는 게 일반적인 모습입니다.

그런데 국정을 벗어나 검인정으로 이행한 우리나라가 이제 인정이나 자유발행제로 가야 정상인데 다시 국정으로 되돌아가는 건 명백한 퇴행입니다. 그것은 어찌 보면 선거를 통해 뽑던 국회의원을 대통령이 지명하는 방식으로 바꾸는 것과 마찬가지입니다.

한국 민주주의와 인권은 도대체 어디까지 추락할까요? 어떻게 이 깊은 수렁에서 빠져나올 수 있을까요? 저는 정치가 회복되어야 한다고 생각합니다. 하지만 대통령 비위를 맞추느라 입법부 구성원으로서 분립된 권력과 품위를 저버리고 최소한의 상식마저 외면하는 파렴치한 여당의 모습을 보면 그것이 요원해 보입니다. '그래도 여당보다는 낫다'는 궁색한 비교우위 외에는 더 기대할 게 없는 제1야당에게서도 희망을 찾기가 어렵습니다.

그렇다고 마냥 절망하고 있을 수만은 없습니다. "어둠이 깊을수록 아침이 가까이 왔다"는 말처럼 민주주의와 인권이 나락에 떨어진 지금 진정한 정치가 빛을 발할 수 있습니다. 이제 추락하는 대한민국에 도약의 날개를 달아줄 가치의 정치가 필요합니다. 그 길에 제가 함께하고 싶습니다.

---

* 이 글 중 역사 교과서 국정화에 관한 부분은 제가 2015년 10월 24일에 《전남매일》에 기고한 「역사 교과서 국정화를 반대한다」 칼럼 내용을 일부 수정하여 실었습니다.

그러므로 우리가 지금 행복하지 못한 것은 곧 정치 부재 때문

이 글의 제목은 2010년 10월 2일 《경향신문》에 실린 김준형 한동대 교수의 칼럼 중 한 구절에서 빌려왔습니다. 그 칼럼을 읽으면서 제 마음에 깊은 울림이 있었기 때문입니다. 김준형 교수는 이렇게 썼습니다.

"사실 행복이나 복지처럼 정치와 잘 어울리는 말도 없다. 인간 사회는 제한된 자원을 놓고 서로 경쟁하고 갈등하는데, 바로 그 갈등을 공평하게 조정하는 것이 정치다. 정치가 없다면 힘없고 가난한 사람들이 행복해질 수 있는 가능성이 원천적으로 봉쇄된다. 힘없고 가난한 사람들이 행복하도록 국가가 공적으로 돕는 것이 복지 정책이므로 정치의 본질과 닿아 있다. 그러므로 우리가 지금 행복하지 못한 것은 곧 정치 부재 때문이다."

그런데 정치 부재란 말은 현재 한국 사회의 상황과 잘 안 어울리는 것 같습니다. 오히려 정치가 과잉이라 골치가 아플 정도가 아닌가요? 신문을 펼치면 정치 관련 뉴스가 넘쳐흐르고 선술집 식탁에서는 정치 토론으로 낯을 붉히는 사람들을 어렵지 않게 볼 수 있습니다. 그런데도 정치가 없다니 도대체 무슨 뜻일까요?

우리가 생각하던 정치와 김준형 교수가 말하는 정치가 다르기 때문일 것입니다. 김 교수는 정치의 본질을 '조정을 통해 힘없고 가난한 사람들을 돕는 것'이라고 보았습니다. 그것이 참뜻일 터인데 우리는 어느새 정치를 권력투쟁이나 선거공학 정도로 생각하고 있는 건 아닐까요? 그래서 정치란 힘세고 부유한 사람들이 한층 더 출세하는 권력의 장일 뿐 서민과는 아무런 상관이 없다고 여기게 된 것인지도 모릅니다.

하지만 정치는 본질적으로 강한 자보다 약한 사람을 위해 존재합니다. 이미 많이 가진 사람들에게 정치는 거추장스럽게 느껴지는 게 자연스럽습니다. 자신에게 힘과 부를 안겨준 상황이 변함없이 계속되기를 바라기에 이들에게는 정치라는 이름의 개입이 달갑지 않습니다. 그래서 전통적으로 보수주의자들은 정부의 기능을 줄이고 제한하는 쪽으로 움직여왔습니다. 정치의 기능을 늘리려는 사람들에 맞서 최대한 정치를 억제하는 것을 사명으로 여겼습니다.

　그러다가 정치 아닌 것이 정치의 자리를 차지하는 안타까운 일이 생겼습니다. 개입과 조정을 통해 힘의 균형을 맞추는 정치는 퇴색하고, 권력을 동원해서 가난한 사람의 마지막 남은 것마저 빼앗아 부유한 사람에게 몰아주는 행위가 정치라는 이름으로 불리게 된 것입니다.

　예를 들어 정치가 권력자보다는 평범한 시민을, 재벌기업보다는 중소기업을, 사업주보다는 근로자를 편들어야 힘의 균형을 맞출 수 있습니다. 모든 경우에 그래야 한다는 건 아닙니다. 전반적으로 그런 태도를 취해야 사회의 공평함과 질서가 살아날 수 있다는 뜻입니다. 그런데 정치가 무조건 권력자와 재벌기업, 사업주를 편들고 나서면 힘에 힘을 더하는 형국이 되어 균형이 무너지고 맙니다.

　슬프게도 우리 사회에는 이런 일이 버젓이 정치라는 이름으로 불리고 있습니다. 부정이나 태만, 불법을 저지른 공무원들을 옹호하면서 이로 인해 고통을 겪은 사람들의 울부짖음은 시끄럽다고 처벌합니다. 더 쉽게 근로자를 해고할 수 있도록 법을 바꾸어가며 기업의 이익을 늘려줍니다. 각종 금융과 세금 제도는 갈수록 큰 기업에 더 유리하게 바뀌어갑니다. 심지어는 재벌이 경영권 상속을 좀 더 쉽게 할 수 있도록 제도를 바꾸어놓습니다. 이런 현상은 정치(?)에 의해 더욱 심화됩니다.

김준형 교수는 같은 칼럼에서 뼈아픈 지적을 합니다. "현재도 정치가 우리를 행복하게 만들어주기는커녕 불행하게 만들고 있지만, 미래 전망은 더 어둡다. 정치가들은 자기 이익만을 보고 돌질할 뿐 국민의 행복은 안중에도 없다. 야만적이고 천박한 자본주의 경제체제가 우리 사회의 가진 자와 못 가진 자의 불평등 구조를 만들어내면, 이를 줄이고 보완해야 할 정치권력은 오히려 확대재생산한다. 권력의 사유화와 1인 집중이 도를 넘고 있다. 정당정치도 기능을 못 하고, 공공성과 국민의 행복을 위한 정치는 자취를 감췄다. 국민의 뜻에 의해 정당화된 권력이 아닌, 날것 그대로의 힘만 작동하는 정치판이다. 당연히 그 힘은 비민주적이고, 자의적이고, 폭력적이다. 공익도 헌신짝처럼 버리고 삼권분립을 유린해도 아무런 부끄럼이 없다."

곳곳에 정치가 넘쳐나는데도 정치가 부재한 이 역설적 현실에서 우리는 무엇을 해야 할까요? 답은 정치의 현장으로 들어가 잃었던 정치를 되찾아 오는 것입니다. 정치에 대한 냉소와 무관심은 결코 해결책이 될 수 없습니다. 그러는 동안 비극은 더 깊어져 돌이킬 수 없는 지경이 될 것입니다. 관심을 두고 비판하고 견제하며 선거권을 적극 행사해야 합니다.

그리고 조정으로 균형을 맞추는 정치, 가치를 지향하고 추구하는 진짜 정치의 비전을 품은 사람이라면 과감히 선거에 나서야 한다고 생각합니다. 그것이 그들의 숙명이요 사명입니다. 부와 권력을 지닌 사람에게 주눅 들지 않고 가치와 정의를 실현하는 정치의 세계로 들어가야 합니다. 그들은 "거지도 한 표, 부자도 한 표"라고 표현되는 보통선거에 의해 선출된 국회의원이 되는 게 바람직합니다. 왜냐하면 국회의원은 보통선거의 메커니즘에 따라 표를 얻기 위해 '힘 있는 사람'과 '보통 사람', '약한 사람' 모두를 똑같이 대할 수밖에 없기 때문입니다. 이런 국회의원이 고위관료나 독점재벌 등의 탐욕과 독식, 독점을 견제하며 공동체의 이익을 견지할 수 있습니다.

제가 정치를 하겠다는 결심을 밝혔을 때 저를 아끼는 몇몇 분이 심하게 말리셨습니다. "왜 그런 혼탁한 세계에 들어가 영혼을 더럽히려 하느냐"고도 하시고 "선량한 의도와는 상관없이 권력을 좇는 출세주의자로 보일 수 있다"고 염려하기도 하셨습니다.

이분들의 애정이 정말 고맙게 느껴집니다. 하지만 저는 크게 걱정하지 않습니다. 제가 들어가려는 정치의 세계는 전혀 다른 곳이기 때문입니다. 권력암투의 복마전이 아니라 조정을 통해 약한 사람을 돕는 진짜 정치의 현장 말입니다. 서동용을 통해 정치다운 정치가 살아 움직이는 모습을 보여드리고 싶습니다.

새누리당, 한국의 부끄러움

대한민국 국민이라는 사실이 가슴 벅찬 자랑거리일 때가 많습니다. 한국인은 세계 어느 나라 사람보다도 똑똑하고 부지런하며 열정적이고 공감 능력이 뛰어나며 정의롭습니다. 이는 주관적인 느낌이나 근거 없는 자부심이 아닙니다. 각종 통계가 보여주는 사실입니다.

우리 민족은 예로부터 국가나 지역 공동체에 위기가 닥칠 때 아무런 이해관계가 없어도 분연히 떨쳐 일어났습니다. 임진왜란과 조선 말기의 의병, 일제강점기의 독립운동, IMF 경제위기의 금 모으기 등은 세계 역사에 유례를 찾기 어려운 특이한 일입니다. 또한 이웃이 고통에 처했을 때는 자기 일처럼 나서서 돕습니다. 재해와 사고 현장에 모여들어 땀 흘리는 자원봉사자들을 보면 겉으로는 무뚝뚝해도 속정은 따스하고 살가운 우리의 모습을 실감할 수 있습니다.

그러나 때로는 한국인으로서 부끄러움과 참담함을 느낍니다. 세월호 참사 때 그랬고 시위를 살인적으로 진압하는 광경을 보면서도 그랬습니다. 그리고 제게는 국민으로서 응어리진 수치심이 한 가지 있습니다. 바로 새누리당입니다. 선거를 통해 집권한 여당이며 현실적으로 상대해야 할 정치권력인데 존중해야 되겠다는 생각이 들었다가도, 그들의 작태를 보노라면 화가 치밀어 오릅니다.

이 희한한 정당은 정체를 알 수 없습니다. 자신들이 '보수'라고 이야기하며 그것을 부르짖는데 속을 들여다보면 보수의 일반적 형태와는 완전히 다릅니다. 보수는 역사적 전통, 도덕성과 법치, 노블레스 오블리주 등을 소중히 여깁니다. 그렇지만 새누리당은 이런 보수의 가치를 추구하지 않습니다. 오히려 그 반대의 모습을 더 많이 보입니다.

확실한 것은 새누리당이 기득권을 보유한 여당이라는 사실뿐입니다. 역사적으로 볼 때 이 정당에서 두 사람을 뺀 모든 대통령을 배출했고, 거의 대부분의 시기 동안 국회를 장악했었습니다. 현재 우리 사회를 드리운 어두운 그림자 중 상당 부분이 이 정당과 연관이 있습니다. 대한민국이 산업화와 민주주의를 이루고 지금의 단계에 도달한 것은 이들의 공이 아닙니다. 그것은 역설적으로 그들에 맞선 민초의 피땀이라 보아야 할 것입니다.

지금 새누리당의 대표선수는 김무성 대표입니다. 그는 당 대표이면서 가장 유력한 대선주자로 꼽힙니다. 그의 언행을 보면 현재 새누리당의 수준을 여실히 알 수 있습니다.

그는 "과격한 불법 투쟁 시위만을 일삼는 민주노총이 대한민국에 없었다면 대한민국은 벌써 (1인당 국민소득) 3만 달러를 넘어서서 선진국에 진입했을 것"이라고 말했습니다. 노조와 노동권에 관한 그의 천박한 인식을 보여주는 발언입니다.

김무성 대표는 미국을 방문했을 때 오바마 대통령에게 큰절을 해가며 존경심을 표시했었습니다. 그런 오바마 대통령은 노조에 대해 어떤 관점을 가지고 있을까요? 그는 이렇게 말했습니다. "내 가족의 생계를 보장할 좋은 직업을 원하는가. 누군가 내 뒤를 든든하게 봐주기를 바라는가. 나라면 노조에 가입하겠다." 그리고 "여러 나라를 다녀보니 노조가 없거나 금지한 나라도 많다. …… 그런 곳에서 가혹한 착취가 일어나고, 노동자들은 늘 산재를 입고 보호받지 못한다. 노조운동이 없기 때문이다."

그리고 "1년에 1만 5,000달러(약 1,600만 원)를 벌면서 가족을 부양할 수 있다고 진심으로 믿는가? 그렇다면 당신이 한번 해보

라. …… 그렇게 못 하겠다면 열심히 일하는 수백만 노동자의 임금을 올릴 수 있도록 투표하라"고 연설하기도 했습니다.

노조와 노동권에 대한 인식은 문명사회에서 보편적으로 공유된 가치이기에 오바마의 인식이 왼쪽으로 치우쳤다고 보기는 어렵습니다. 그렇다면 김무성 대표의 발언은 오른쪽으로 치우친 걸까요? 아닙니다. 좌우, 진보와 보수의 문제가 아닙니다. 그냥 상식적이지 못한 겁니다. 한 국가 여당의 대표이면서 다음 대통령을 꿈꾸는 사람이 인류의 보편적 가치에도 미치지 못하는 인식을 갖고 있다는 건 대한민국의 불행이며 위험천만한 일입니다.

새누리당 소속인 홍준표 경남도지사는 또 어떻습니까? 저는 그를 보며 정치에서 가치와 상식의 훼손을 뼈저리게 느낍니다. 홍준표 도지사는 공공의료기관인 진주의료원을 폐쇄하는 조치를 취했습니다. 성과가 낮다는 이유입니다. 한마디로 이익이 나지 않는다는 것입니다. 이것은 어처구니없는 발상입니다. 민간 법인이 운영하는 병원도 이익을 내기 어려운 현실에서 공공의료기관이 적자를 내는 것을 탓하며 문을 닫은 행위는 그동안 쌓아온 정치와 복지의 기반을 무너뜨리는 만행입니다. 그는 한술 더 떠서 교육청 예산 지원을 거부함으로써 의무급식을 중단시켰습니다.

의무급식은 수많은 사회적 논의 끝에 공감대를 형성했으며 교육감 선거를 통해 민의로 확인한 우리 사회의 상식입니다. 그것을 자신의 뜻에 맞지 않는다고 폐기하다니 도무지 이해할 수 없습니다. 그리고 정작 그 자신은 불법 정치자금에 연루되어 재판을 받고 있는 중입니다.

다행히 홍 지사의 비상식을 더는 보고 있지 못한 주민들이 나섰습니다. 주민소환 투표 청구를 위한 법적 요건보다 10만 명가량 많은 36만 6,964명이 서명한 서명부를 도선관위에 제출했습니다. 이렇듯 수십만 명이 주민소환을 들고 일어섰는데도 새누리당이 홍 지사를 징계하거나 출당을 검토한다는 이야기를 들은 적이 없습니다. 오히려 그조차도 대선주자 중 한 사람으로 꼽힌다고 합니다.

새누리당에는 가치와 이념이 없습니다. 기득권을 유지하려는 탐욕이 지배할 뿐입니다. 그러면서 비상식과 몰염치가 그들의 정체성이 되었습니다. 그들은 보수가 아닙니다. 사람들이 보수로 알아주기를 바라고 그렇게 현혹할 뿐입니다.

새누리당은 북한과 적대적 의존관계를 이루고 있습니다. 저는 적대적이란 수식어도 의심스럽습니다. 사실 그들은 북한의 존재에 절대적으로 의존하고 있는 것 같습니다. 입으로 통일을 말하지만 실은 분단과 대립을 원하고 있습니다. 북한이 더 흉포

해지고 남북한 관계가 틀어져야 생존할 수 있는 집단이 새누리당입니다. 그래야 "북한이 위협적이니 우리를 지지하지 않으면 위험에 빠진다"고 협박할 수 있기 때문입니다. 그리고 자신들의 비상식에 이의를 제기하는 사람들에게 '종북'의 딱지를 씌울 수 있기 때문입니다.

이제 이 수치는 끝나야 합니다. 저는 새누리당이 최소한의 수준에는 도달하기를 바랍니다. 비상식과 몰염치를 보수의 이름으로 포장하는 기만을 그만두기를 애타게 바랍니다. 이런 행위는 오래가지 못합니다. 링컨 대통령이 말했듯 여러 사람을 오랫동안 속이는 일은 불가능하기 때문입니다. 새누리당을 정상적인 정당으로 견인하는 것. 이것이 한국 정치의 과제일 것입니다.

미래가 보이지 않는
새정치민주연합

저는 그동안 현실로 존재하는 제1야당에서 여당의 비상식과 횡포에 맞서 한국 정치를 바꿀 희망을 찾고 있었습니다. 우리 사회에는 분명한 자기 가치를 지니고 분투하는 진보정당이 있지만 사회적 공감대와 실현 기반을 바탕으로 해야 하는 현실 정치에서 진보정당만으로는 한계가 있다고 생각했습니다. 진보정당의 가치와 지향을 존중하면서 나름의 합리성과 가치를 바탕으로 현실의 문제를 풀어갈 현실적인 정치 개혁 주체로서 제1야당을 생각한 것입니다.

그런데 조금씩 그 기대와 희망이 무너져 내렸습니다. 최근 몇 년간 만나온 야당 인사들의 모습에서 '이들이 과연 수권 의지가 있는가?' 하는 의심이 일었습니다. 정당이란 모름지기 정권을 획득하는 게 1차적 목표가 되어야 합니다. 그래야 자신의 정치적 이상을 실현할 수 있기 때문입니다. 그런데 제1야당 인사들에게서는 정당으로서 정권을 획득하고 이를 바탕으로 가치를 실현하겠다는 의지가 좀처럼 느껴지지 않았습니다.

제17대 대통령 선거전이 한창이던 때입니다. 여당의 이명박 후보가 야당의 정동영 후보를 앞지르고 있었습니다. 선거 막바지로 갈수록 야당의 패색이 짙어졌습니다. 그렇지만 지지자들은 대역전의 기적을 기대하며 희망을 끈을 놓지 않았습니다. 특히 선거 전날인 2007년 12월 18일 일반 당원들은 물론 지지자들까지 자발적으로 나서서 지인들과 통화하거나 휴대전화 문자 메시지를 보내느라 여념이 없었습니다.

저도 그날 지지자의 한 사람으로서 주변 사람들에게 꼭 투표할 것과 정동영 후보에게 표를 찍을 것을 당부하느라 분주했습니다. 그러던 중에 옛 친구 한 명으로부터 만나자는 연락을 받았습니다. 오랜만의 만남인지라 반가운 마음으로 약속한 장소를 찾았습니다.

그런데 놀랍게도 그 술자리에 야당에서 중직을 맡은 현역 국회의원이 있었습니다. 저는 적잖이 충격을 받았습니다. 아무리 패배가 예상되는 선거라 하더라도 선거운동 마지막 날, 평당원과 지지자들이 열의를 불태우고 있는 그 시간에 술자리라니. 받아들이기 힘든 일이었습니다. 더욱이 그는 연신 유쾌한 웃음을 띠며 이미 결판난 선거에 연연하지 않는다는 듯 말했습니다. 저는 거기서 대인의 풍모보다는 '나와 직접적 이해관계가 없는 일이니 괜찮다'는 무책임함을 느꼈습니다. 혹시 자신의 국회의원 자리를 자기가 속한 정당의 수권보다 더 중요하게 여기는 건 아닌지 불안감이 일었습니다.

그 이후로도 야당 국회의원이나 소속 정치인들을 만나며 이런 느낌이 더해갔습니다. 과연 이들에게 희망을 걸 수 있을지 두려웠습니다. 세월호 참사가 벌어진 후 이런 두려움은 더욱 짙어갔습니다. 유가족과 함께 철저히 사고의 진상을 밝혀서 비슷한 사고가 재발하지 않도록 제도적·법적 장치를 마련하는 데 열중하는 모습을 찾기 어려웠기 때문입니다. 물론 몇몇 분은 그러지 않았지만 대다수가 정치적 이해관계에 휘둘렸으며 여당과 어처구니없는 협상을 했습니다. 세월호 특별법이 졸속으로 통과되고 그마저도 훼손하는 시행령이 나온 데에는 야당의 불성실과 무능도 한몫을 했다고 봅니다.

그런 과정을 거치며 제1야당에 대한 기대가 완전히 무너졌습니다. 그들에게 더 희망을 둘 수 없었습니다. 그 속에서는 제가 지향하는 가치의 정치를 할 수 없다고 보았습니다.

앞에서 저는 새누리당이 북한과 적대적 의존관계를 맺고 있다고 말씀드렸습니다. 이와 마찬가지로 새정치민주연합은 새누리당과 적대적 의존관계에 있습니다. 수권의 의지도, 능력도 없이 기득권을 지키는 데 혈안이 된 이들의 유일한 구호는 '새누리당을 반대하는 것'입니다. 그럴 가능성이 희박하지만, 만약 새누리당이 혁신을 통해 거듭난다면 그들의 존립 근거도 사라질 것입니다.

미국에서는 민주·공화 양당의 대통령 후보 자리를 놓고 경쟁이 전개되고 있습니다. 그중에서 단연 주목받는 인물이 버니 샌더스입니다. 그는 싱겁게 독주하리라 예상되던 힐러리 클린턴과 앞서거니 뒤서거니 하며 열풍을 몰고 왔습니다. 그의 유세장에는 수많은 청중들이 몰려들고 있으며, 연설을 들으며 감동의 눈물을 흘리는 이도 적지 않다고 합니다. 물론 그가 민주당 대통령 후보가 되리라 예측하는 전문가는 거의 없습니다. 하지만 그는 미국 사회에 새로운 담론을 던졌습니다. 자본주의의 병폐가 한데 모인 월스트리트를 개혁하고 복지 제도를 강화함으로써 불평등을 해소하자는 그의 주장은 힐러리 클린턴이 진보적인 공약을 들고 나올 수밖에 없도록 만들었습니다.

캐나다 정치 역사상 가장 역동적인 정치 혁명을 이루어냈다고 평가받는 저스틴 트뤼도 총리도 매우 인상적입니다. 2015년 11월 4일 공식 취임한 그는 첫 내각을 구성하는 데서부터 남달랐습니다. 30명의 각료를 여성 15명, 남성 15명의 동수로 구성했습니다. 더욱이 법무장관은 원주민 출신, 장애인복지장관은 시각장애인, 국방장관은 지체장애인이라고 합니다. 여성과 장애인을 비롯해 약자, 소수자들의 권익이 제대로 보장되지 않고, 또 그들이 국회의원이 되는 비율이 낮은 우리나라에도 이런 변화의 바람이 불었으면 좋겠습니다.

유승찬 스토리닷 대표가 인터넷 언론 《프레시안》에 트뤼도 총리의 정치 행보가 한국 정치권에 던지는 화두에 관한 칼럼을 썼습니다. 그는 이 글에서 트뤼도 총리가 선거에서 이길 수 있는 요인에 대해 이렇게 분석하고 있습니다.

"소득 불평등 사회에 대응하는 트뤼도의 단순 명쾌한 해법이 캐나다 국민의 마음을 크게 움직였습니다. 왜 저항이 없었겠습니까. 하지만 트뤼도는 완강하고 단호하게 진보의 가치를 지켜냈습니다. 어느 누구도 사회적 약자의 편에서 그들의 이익을 위해 완강하게 싸우지 않을 때, 모두가 기득권 정당 구조에 안주해 있을 때 트뤼도는 그것을 정면 돌파해냈습니다. 힐러리마저 진보의 방향으로 움직이게 만든 미국 대선의 샌더스 돌풍과 일맥상통하는 현상이라고 볼 수 있습니다."

그리고 야당을 향해 뼈아픈 질문을 던집니다.

"진보라면 민생 같은 추상적인 언어가 아니라 구체적인 어젠

다를 말해야 합니다. 최근 수년간 야당이 프레임을 주도했던 시기는 '무상급식'으로 복지 어젠다를 가져왔을 때뿐입니다. 트뤼도처럼 부자 증세를 말할 용기가 있습니까. 오바마처럼 동성 결혼 합법화를 말할 용기가 있습니까. 샌더스처럼 은행 국유화를 주장할 용기가 있습니까. 거대 양당 체제의 기득권을 내려놓고 다당제를 위한 선거제도 개혁을 추진할 용기가 있습니까?"

미국의 샌더스와 캐나다의 트뤼도는 진보를 표방하는 한국의 야당에게 어떻게 정치를 해야 할지 큰 교훈을 주고 있습니다. 과연 한국의 샌더스, 한국의 트뤼도가 나올 수 있을까요? 기득권을 내려놓고 가치를 향해 몸을 던질 수 있을까요? 저는 새정치민주연합에서 그 희망을 찾지 못했습니다. 한국의 제1야당, 이대로는 안 됩니다. 이제 바꾸어야 합니다.

---

* 이 책을 완성하는 중 '새정치민주연합'의 정당 명칭이 '더불어민주당'으로 바뀌었습니다.

한국 정치를
이대로 두고 싶은 사람들

정치 부재로 대다수 국민이 고통 받으며 신음하는 한국에서 정치 개혁은 매우 중요한 주제입니다. 정치 개혁 중에서도 선거 제도는 특히 중요합니다. 그런데 현재 선거제도는 승자 독식 시스템입니다. 말하자면 두 기득권 정당, 즉 새누리당과 새정치민주연합이 자신이 얻은 표보다 더 많은 의석을 차지하는 구조입니다.

예를 들어 2012년에 실시되었던 국회의원총선거에서 새누리당은 43.3%, 민주통합당(새정치민주연합)은 37.9%의 표를 얻었습니다. 하지만 이 두 정당은 자신이 얻은 표보다 더 높은 비중의 국회의원 의석을 차지했습니다. 새누리당은 152석으로 국회 의석의 50.7%를 점유했고, 민주통합당도 127석으로 국회의원의

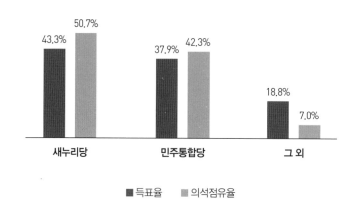

제19대 총선 득표율과 의석점유율 비교

새누리당 43.3% 50.7%
민주통합당 37.9% 42.3%
그 외 18.8% 7.0%

■ 득표율　■ 의석점유율

42.3%를 차지했습니다. 그 외 무소속과 통합진보당 등이 합쳐서 18.8%의 득표를 하고도 7%인 21석을 차지하는 데 그친 것을 보면 뭔가 형평에 맞지 않습니다.

이런 시스템에서 국민은 새로운 후보, 자신이 진정으로 바라는 정당 후보를 뽑기보다는 비교적 당선 가능성이 높은 후보에게 표를 던지는 이른바 전략 투표를 하게 됩니다. 예컨대 신생 정당이나 새로운 후보에게 표를 던지고 싶어도 새누리당 후보의 당선을 막기 위해 새정치민주연합에 표를 던지는 선택을 할 수밖에 없습니다.

이런 정치 독점의 폐해를 막고 민의를 더욱 잘 수렴하는 선거제도가 존재합니다. 바로 '정당명부식 비례대표제'입니다. 간단히 말해 정당 투표를 해서 표를 얻은 비율대로 의석수를 나누는 것입니다. 과거 김대중 대통령께서는 이 제도를 도입하기 위해 많은 애를 쓰셨습니다. 그리고 새정치민주연합의 문재인 대표가 대선 시절에 정당명부 비례대표제와 결선투표제를 공약으로 내걸기도 했습니다.

하지만 새정치민주연합은 그 사실을 까맣게 잊은 것 같습니다. 아니, 짐짓 기억나지 않은 척하는 것이겠지요. 그들은 겉으로는 정치 개혁을 외치면서도 속으로는 다른 마음을 품고 있습니다. 새누리당과 마찬가지로 기득권을 가지고 있는 이들은 현재의 선거제도가 자신들의 기득권을 지키는 데 유리한 것을 잘 알기에 정당명부식 비례대표제를 암묵적으로 거부하거나 모호한 태도를 취하고 있습니다. 결국 국민들의 뜻을 어떻게 가장 잘 반영할지는 전혀 고민하지 않은 채 자기 밥그릇만 지키고 있는 셈입니다.

선거제도 개혁은 현행 선거제도에서는 사표가 될 수밖에 없는 국민의 목소리를 되살리는 개혁입니다. 우리는 늘 이렇게 이야기합니다. "정치인들은 그놈이 그놈이다." 그런데 우리 정치를 그렇게 만드는 대표적인 시스템이 바로 현행 승자 독식 선거제도입니다.

지금껏 제대로 대표되지 못했던 모든 시민들, 즉 열심히 노력함에도 일자리가 부족해 취업을 못 하고 있는 우리 청년들, 열심히 일해도 그에 합당한 대가를 받지 못하는 비정규직 노동자와 외국인 노동자, 나라를 위해 젊은 시절을 바쳤지만 그에 대한 대우를 받지 못하고 있는 어르신들, 능력 탓이 아닌 차별 때문에 부당한 대우를 받는 여성들, 갑의 횡포에 아무 말도 못 하는 중소기업 사장님들을 대표하는 정치인과 정당이 출현하려면 정치 개혁이 불가피합니다.

국회의원 총선거를 앞두고 선거제도 개혁 논의가 진행 중입니다. 정치구조 개혁을 외치면서도 기득권을 지키는 데는 한통속인 새누리당과 새정치민주연합 의원들이 어떤 주장과 결정을 하는지 눈여겨보며 목소리를 내야 합니다. 이번에도 선거제도 개혁이 무산된다면 정치에 대한 불신은 계속될 것이고 새누리당과 새정치민주연합은 그 불신을 이용해 자신들의 기득권을 지켜나갈 것입니다.

이미 불안한 징조가 보이고 있습니다. 그들의 작전은 지연입니다. 헌법재판소가 현재의 선거구가 헌법에 맞지 않는다는 판결을 내렸었습니다. 이후 선거관리위원회가 정당명부식 비례대표제를 포함하는 획기적인 제안을 하기도 했습니다. 선거제도 개혁을 중심으로 한 정치 개혁을 강제로라도 할 좋은 여건이 조성된 것입니다.

하지만 새누리당과 새정치민주연합은 끝끝내 이를 외면했습니다. 계속 미적거리기만 했습니다. 심지어 예비후보 등록 개시 시점까지도 선거구조차 정하지 않았습니다. 이는 정치 개혁을 위한 신중함이라기보다는 자신들의 유·불리를 따지느라 그렇게 된 것으로 보입니다.

현역 의원들은 선거구 획정이 늦게 이루어져도 크게 개의치 않습니다. 이미 얼굴과 이름이 알려진 데다 의정 활동을 핑계 삼아, 그리고 의정 보고서 등의 홍보물이나 언론 접촉을 통해 사실상의 선거운동을 진행할 수 있습니다. 만약 선거구 획정이 늦어지는 등의 이유로 경쟁자들이 늦게 나선다면 더 유리해집니다.

하지만 현역 의원이 아닌 입후보 예정자들, 특히 정치 신인들은 사전 선거운동을 금지하는 선거법 때문에 자신을 알릴 방법이 완전히 차단되어 있습니다. 정치적인 신념이나 포부는 물론이고 자신의 존재 자체를 알릴 수 있는 방법이 아예 없습니다.

그나마 제한된 범위 내에서나마 선거운동이 가능한 게 예비후보자 제도입니다. 그런데 선거구가 확정되지 않아서 그마저도 제대로 할 수 없는 형편입니다. 내가 예비후보자로서 어디에서 선거운동을 해야 하는지조차 정확히 알 수 없습니다. 한마디로 경기를 하자고 하면서도 경기장을 정하지 않는 것과 마찬가지입니다. 저는 기본적인 정치 도의, 상식이 지켜지지 않는 이런 풍토가 가슴 아픕니다.

저는 2015년 12월 17일에 다른 지역 예비 후보자 두 분과 공동으로 대법원에 '선거무효확인소송' 및 '선거실시집행정지신청'을 냈습니다. 법이 담고 있는 정신에 따라 선거구가 정해지고 최소 4개월은 지난 후에 선거가 실시되어야만 선거권과 피선거권을 정당하게 행사할 수 있다는 게 소송의 취지입니다.

이 소송 및 집행정지신청이 받아들여지는 것도 중요하지만, 저희는 선거일을 연기하는 데 초점을 맞추지는 않았습니다. 자신의 이해관계에 따라 정치 개혁은 고사하고 제도의 절차적인 정당성도 확보하지 않는 기득권 정당에게 법원이 사법적 판단을 내려주기를 기대하고 있습니다.

새누리당은 그렇다 하더라도 새정치민주연합조차 진정한 정치에 관심이 없습니다. 정치 부재로 불행한 대한민국에 희망을 불어넣을 생각이 없습니다. 그들은 자신의 기득권을 지키기 위해 한국 정치의 암울함이 그대로 유지되기를 바라는지도 모르겠습니다. 기본적인 절차와 상식도 지키지 않는 이들에게 정치 개혁이나 대한민국의 희망을 맡길 수 없습니다. 한국 정치, 이대로는 안 됩니다. 정치 개혁, 선거제도 개혁으로 나아갈 때입니다.

가치의 정치를 이루겠습니다

　과거 우리는 더 많이 벌어서 먹고사는 문제를 해결하면 저절로 행복해지리라 믿었습니다. 그리고 앞뒤 돌아보지 않고 주변을 살피지도 않은 채 숨 가쁘게 달려왔습니다. 그 결과 사회적으로 풍요를 이루었습니다. 하지만 우리에게 찾아온 것은 행복이 아니었습니다.

　모두가 배불리 먹고살 자원이 넘치는 세상에서 누군가는 허기진 배를 움켜쥐고 잠들어야 합니다. 어느 정도 벌었다고 생각하는 사람들조차도 소비만 늘었을 뿐 실상은 더 가난해졌습니다. 빚지고 마음이 쪼들리고 걱정과 불안에 시달립니다. 지식과 정보가 넘쳐나지만 바르게 세상을 사는 지혜는 오히려 줄어들었습니다. 정신없이 분주하게 일하고 움직이면서도 어디로 향하고 있는지 목표와 의미를 알 수 없게 되었습니다.

애초 우리의 바람은 그런 게 아니었습니다. 가족과의 따뜻한 저녁식사, 늙으신 부모님의 시름없는 푸근함, 천진한 아이들의 밝은 웃음, 퇴근길 벅찬 보람과 즐거움, 흐드러지게 핀 들꽃의 아름다움, 서로 믿고 배려하는 착한 이웃들, 존중받고 존중하는 존엄한 삶을 원했습니다. 더 벌고 더 높은 자리에 오르면 이것들을 살 수 있으리라 믿었는지도 모릅니다. 하지만 그 반대였습니다. 아름답고 소중한 것들을 치르고서야 보잘것없는 돈과 자리를 얻었습니다.

이것은 우리가 사는 세상의 역설입니다. 어쩌다 이렇게 되었을까요? 저는 가치를 잃었기 때문이라고 생각합니다. 우리는 돈을 좇고 권력을 좇고 욕망을 좇고 무엇인가를 얻기 위해 처절하게 경쟁하는 동안 소중한 가치를 잃어버렸습니다. 가치를 잃은 것은 한 사람 한 사람의 개인들뿐만이 아닙니다. 우리 사회 전체가 가치를 잃고 시름하게 되었습니다.

소위 정치가 늘어나고 선거 전략과 표를 얻는 기술이 화려하게 발전했으며 각종 매체를 통해 정치 담론이 풍성해졌지만 사회적 조정 역량을 통해 불리한 사람을 북돋아주는 진정한 정치는 사라졌습니다. 정치 과잉의 시대를 살면서 정치 부재로 고통받는 비극적 역설에 처하게 되었습니다.

이대로는 안 됩니다. 우리의 삶이 너무나 불행합니다. 이제 가치를 지향해야 합니다. 가치의 정치를 통해 행복한 사회를 이루어야 합니다. 저는 저의 정치 철학을 '가치의 정치'로 표현합니다. 이것이 제가 정치를 하려는 이유이며 도달하고자 하는 지향점입니다.

앞에서도 말씀드렸듯이 저는 정치를 하겠다고 결심한 후에 저의 포부를 '마로현 편지'라는 이름을 붙여 주변 분들에게 전했습니다. 그 내용이 바로 가치의 정치입니다. 성장과 경쟁, 돈에 눌려 질식한 가치를 정치를 통해 회복하려 합니다.

우리는 경쟁에서 이기고, 더 높은 자리를 차지하고, 더 많은 돈을 번 다음에야 가치를 얻을 수 있다는 논리가 틀렸음을 과거 경험을 통해 알고 있습니다. 1인당 국민소득이 3만 달러, 4만 달러, 5만 달러가 되더라도 현재와 같이 전쟁의 공포에 휩싸이고, 생명이 경시되고, 인권이 짓밟히고, 불평등이 깊어지고, 신뢰와 존중·배려가 사라지고, 소통이 막히고, 분쟁이 난무한다면 결코 행복해질 수 없습니다.

그러므로 무엇보다 앞서서 가치를 추구해야 합니다. 생명의 소중함을 떠받들어야 합니다. 서로 믿고 존중하며 배려하는 문화를 싹틔워야 합니다. 민주주의와 인권을 지키고 가꾸어야 합니다. 차이를 바탕으로 싸우기보다는 화해하고 협력하며 벽을 허물고 서로 소통하는 공동체를 이루어 더불어 잘살아야 합니다.

제가 가치를 좇는 정치를 하겠다고 말하면 그것은 막연한 이상이 아니냐고 반문하는 분도 계십니다. 저는 그렇게 생각하지 않습니다. 가치는 엄연한 현실입니다. 가치가 먼저 서야 돈도 제대로 벌고, 제대로 쓰면서 행복해질 수 있습니다.

가치를 잃은 사회는 부정과 부패, 불공정이 난무하여 진정한 행복이 없습니다. 안전도 장담할 수 없습니다. 화려한 백화점 건물이 무너지고 큰 다리가 붕괴하고 대형 선박이 침몰한 것은 가치를 잃고 돈만 좇던 기업가와 공무원, 그리고 정치인의 합작품입니다.

가치가 서야 경제도 살아납니다. 공정성이라는 가치가 없다면 누가 힘들게 일하고 생산하려 하겠습니다. 투명한 사회 시스템과 정부에 대한 신뢰가 없다면 건전한 투자와 성장도 불가능합니다.

모두가 인정하는 것처럼 한국 경제는 수출에만 의존할 수 없습니다. 내수가 살아나야 경제에 활력이 생깁니다. 내수의 기본 전제는 돈을 쓸 여력을 지닌 사람입니다. 그런데 기업들이 종업원을 함부로 내쫓고 정부가 복지를 외면한다면, 자신들의 주머니는 잠깐 부풀어 오르겠지만 장기적으로 소비자를 잃게 될 것입니다. 여력이 있는 사람도 불안한 미래 때문에 지갑을 열지 않아 결국 경제가 꽁꽁 얼어붙을 것입니다. 이런 상황에서는 경제가 호전된다 하더라도 결국은 거품과 투기일 뿐입니다. 결과적으로 늘 경제위기 속에 지내게 됩니다.

평화와 화해의 가치가 서야 통일도 이룰 수 있습니다. 통일이야말로 한국 사회의 근본적 변화와 발전을 이끌어올 최고의 기회입니다. 북한 정권이 마뜩잖다고 적개심을 드러내고 설득을 포기한다면 절호의 기회가 물거품처럼 사라질 것입니다.

저에게 가치는 정치의 출발점이자 바탕입니다. 가치에 최고의 우선순위를 두며 가치를 모든 판단의 근거로 삼겠습니다. 또한 정치를 통해 우리 사회의 가치를 하나하나 회복시키고 실현하려 합니다. 제가 나고 자란 광양에서 시작해 대한민국 전체로 소중한 가치를 확산시키겠습니다. 가치가 꽃피는 광양, 가치가 강물처럼 흐르는 대한민국을 만들겠습니다.

대한민국이 침몰하던 날

2014년 4월 16일. 따스한 봄기운이 대지에 생명력을 불어넣어야 할 아름다운 봄날 남쪽 바다로부터 절망의 삭풍이 불어닥쳤습니다. 가족을 잃은 사람들의 울부짖음이 온 강토를 뒤덮었습니다. 그리고 그 슬픔은 600일이 더 흐른 지금까지도 서러운 그늘을 드리우고 있습니다. 사고 이후의 시간은 아픔 위에 또 다른 아픔을 더한 날들인지도 모르겠습니다.

그날 아침도 여느 날과 다르지 않았습니다. 일터로, 학교로 분주한 일상의 발걸음을 옮겼던 우리는 눈앞에 다가온 비극을 전혀 눈치채지 못했습니다. 저도 그랬습니다. 사무실에 출근하여 컴퓨터를 켰을 때 인터넷 포털에 대형 여객선이 전남 해안에 표류하고 있다는 속보가 떴습니다. 아무런 불상사가 없기를 바라는 마음으로 진행 상황을 지켜보았습니다. 곧 사고가 난 위치가 소개되었고 기울기 시작한 선체의 모습이 보였습니다.

전남 진도군 조도면 맹골도와 거차도 사이의 사고 지역은 조류가 센 곳이지만 출동이 불가능한 먼 바다는 아닙니다. 항로에 장해물이 거의 없다고 하니 해경이 곧 도착해서 무사히 구조 작업을 할 수 있으리라 보았습니다. 여러 방송사가 현장에 도착하여 기울기 시작한 배의 모습을 실시간 영상으로 보내고 있는 터라 구조는 시간문제로 보였습니다.

얼마 지나지 않아 탑승객 전원을 무사히 구조했다는 속보를 접할 수 있었습니다. '그러면 그렇지.' 참으로 다행스러운 마음이었습니다. 저는 편안하게 업무로 관심을 옮길 수 있었습니다. 그러나 몇 시간도 지나지 않아 차 안에서 들은 라디오 방송은 그게 아니었습니다. 구조된 인원은 얼마 되지 않았던 데다가 그 숫자도 계속 오락가락했습니다.

그날도 그다음 날도 방송 화면을 통해 점점 기울며 침몰하는 배의 모습을 하릴없이 바라볼 뿐이었습니다. 구조 상황과 사고 원인, 긴급 대책에 관한 온갖 보도가 쏟아졌지만 애타게 바라던 반가운 소식은 좀처럼 들리지 않았습니다.

실낱같은 희망이 점점 희미해질 무렵부터 사고 선박의 해운 회사와 그 소유주에 관한 보도가 집중적으로 나오기 시작했습니다. 그런데 더 큰 책임이 있는 정부 당국이 그 뒤로 숨어 실책을 은폐하고 있다는 느낌을 지울 수 없었습니다. 사고 현장에 나타난 대통령과 고위 관료들은 그 와중에도 의전을 챙겼습니다. 또 자신들이 책임질 사람이 아니라 참관인인 것처럼 멀찍이 떨어져 행동했습니다. 그렇게 책임을 회피하고 우왕좌왕하는 사이 희망의 불꽃은 완전히 사그라지고 말았습니다.

저는 세월호 사건이 대한민국의 침몰을 보여주는 상징이라고 생각합니다. 사고와 침몰, 구조, 그리고 그 이후에 이어졌던 진상 조사 과정에서 우리의 부끄러운 민낯이 고스란히 드러나고 말았습니다. 탐욕스러운 해운회사 사주는 최소한의 안전장치 없이 승객의 목숨을 건 도박과도 같은 운항을 거듭했지만, 이를 통제하고 감시해야 할 공적 기능은 전혀 작동하지 않았습니다.

긴급 구조를 책임져야 할 사람들은 윗사람 눈치 보기에 급급했습니다. 한 사람의 생명을 살리는 것보다 윗사람의 심기를 살피는 데, 보고하고 지시를 받는 절차에 더 관심을 두었습니다.

절체절명의 순간 마땅히 발휘해야 할 리더십을 보이는 고위 공직자는 아무도 없었습니다. 저는 대통령이 현장을 방문해 말 안 듣는 공무원을 잘라버리겠다고 엄포를 놓는 장면을 보고 큰일 났다는 불안감을 지울 수 없었습니다. 내가 모두 책임질 테니 목숨을 걸라고 독려함으로써 적극성을 불어넣어 주어도 부족할 터인데 공무원들이 몸을 사리게 만들었기 때문입니다.

세월호 사고 이후 나타난 힘 있는 사람들의 작태는 소름이 돋을 정도였습니다. 사고 발생과 구조 실패에 대해 뼈아픈 자책을 해야 할 사람들이 '교통사고', '유족의 과도한 요구' 등을 운운하고 진상 조사를 방해했습니다. 인면수심이란 말이 떠올랐습니다.

많은 이들이 그랬듯이 저 역시 한없이 슬프고 무기력했습니다. 내 자식 또래의 꽃다운 청춘들이 피지도 못하고 차가운 바다 속에 갇히는 장면을 텔레비전 생중계로 무력하게 바라보며 발만 동동 굴러야 했습니다. 국민을 지켜야 할 정부가 한 사람의 생명도 구해내지 못하는 광경을 그대로 바라만 보았습니다. 정치권이 세월호 참사의 진실을 규명해내지 못하는 현실을 참담한 심정으로 지켜볼 뿐이었습니다.

저는 촛불집회에 열심히 나갔습니다. 유가족들이 주장하는 바와 같이 세월호 참사의 진상을 철저히 규명하고 우리 사회의 안전과 행복을 갉아먹는 부패한 기둥을 교체함으로써 두 번째 세월호 침몰 사고가 일어나지 않도록 하고자 목소리를 높였습니다. 하지만 그것만으로는 부족하다는 생각이 들었습니다. 그것만으로는 근본적인 변화를 이끌어내기에 역부족이었습니다.

유가족들이 가슴을 찢는 고통을 겪고 온 국민이 침통에 빠지는 엄청난 대가를 치렀건만 지금도 달라진 게 없습니다. 이 책을 마무리할 무렵 세월호 참사 특별조사위원회 청문회가 열렸습니다. 우리는 아직 치료받지 못해 그대로인 생채기가 다시 짓이겨지는 광경을 보아야 했습니다. "아이들이 철이 없어서 구조하지 못했다"거나 "기억나지 않는다"는 증인들의 목소리가 귓가에 맹맹합니다. 하지만 이런 목불인견은 이미 예상된 것이었습니다.

사고 예방과 구조에서 무능과 혼란의 극치를 보여준 정부는 세월호 특별조사위원회를 사실상 무력화하는 시행령안을 발표했었습니다. 조사 대상인 해양수산부 공무원을 기획조정실장으로 앉히고, 인력과 예산을 대폭 축소했습니다. 조사 범위도 세월호 참사 원인과 정부 구조에 대한 폭넓은 조사가 아니라 '세월호 참사의 원인 규명에 관한 정부 조사 결과의 분석 및 조사'로 제한했습니다. 특별법의 내용을 구체화하는 데 그쳐야 할 시행령이 특별법을 사실상 무력화해버린 것입니다.

게다가 참사 원인과 구조에 대한 조사 결과가 나와야 배·보상 지급 주체와 내역이 정해질 텐데 정부는 조사도 하기 전에 서둘러 배·보상안을 발표했습니다. 거기에는 정부와 관련 없는 보험금과 국민성금 지급 예상액도 포함됐습니다. 파렴치하기 그지없는 짓입니다.

사고 당시 구조가 사실상 이뤄지지 않고 있음에도 "사상 최대 규모의 구조작전이 벌어지고 있다"는 구조 당국의 발표를 앵무새처럼 반복했던 언론들은 유가족들의 호소는 외면한 채 8억이니, 11억이니 하며 그 금액만 선정적으로 보도했습니다.

그러자 기다리기라도 했다는 듯이 많은 누리꾼이 배·보상금을 '로또'에 견주며 악의적 댓글을 달았습니다. 안타깝게도 불경기, 경쟁, 취업난, 실직 등 사회경제적 불안에 찌들어 가슴속에 대상을 알 수 없는 분노가 응어리져 있던 이들이 그 분노를 자신들과 같은 사회적 약자에 투사했던 겁니다.

그중에서도 정치권의 행태는 단연 눈 뜨고 못 볼 꼴입니다. 세월호 참사는 안전한 나라를 만드는 계기로 삼아야 할 사안임에도 정치적 이익만 재다가 유가족들의 요구를 거부한 채 차일피일했고 마지못해 특별법을 통과시킨 바 있습니다. 특히 새누리당 의원들은 '교통사고', 'AI(조류 인플루엔자)', '노숙자' 등 경쟁하듯 막말을 쏟아내며 이미 찢긴 유가족의 가슴에 또 한 번 비수를 꽂은 바 있습니다. 세월호 특별위원회를 '세금 도둑'이라고 비난한 한 국회의원을 보며 과연 저 사람들이 인간의 정서와 사고 기능을 가지고는 있는지 의심스러운 생각마저 들었습니다.

세월호 참사와 그 이후 이어진 참담한 상황을 겪으며 '내가 무엇을 할 수 있을까? 그리고 무엇을 해야 할까?'에 대한 깊은 고민을 했습니다. 그리고 제 나름의 답을 찾았습니다. 그것은 '정치'입니다. 한 사람의 시민으로서, 부모로서, 기성세대로서, 그리고 변호사라는 전문 직업인으로서 할 일이 분명히 존재하며 그 일도 큰 의미가 있습니다.

하지만 여기에 반드시 정치의 영역을 덧붙여야 진정한 개혁이 이루어질 수 있다고 보았습니다. 만약 정치적 이해관계에 얽매이지 않고 진정으로 유가족을 돌보며 철저히 진상을 조사하여 안전한 대한민국을 만드는 법적·제도적 정비에 헌신한 국회의원 몇 사람이 더 있었다면 상황은 많이 달라져 있을 것입니다. 그 올바른 국회의원 중 한 사람이 되는 게 지금 제가 할 수 있는 최선이 아닐까 생각을 거듭해보았습니다.

한국 정치, 이대로는 안 됩니다. 이대로 머물다가는 세월호 참사와 같은 비참한 사태가 두 번, 세 번 그리고 수없이 다시 일어나는 것을 무력하게 지켜보아야 할 것입니다. 그때마다 슬픔과 무력감에 젖을 수는 없습니다. 저는 한국 정치를 바꾸어야 한다고 봅니다. 그래야 우리 아이들을, 형제와 이웃과 부모님들을 지킬 수 있습니다. 불행을 딛고 일어나 행복해지는 일도 정치를 바꾸어야 가능합니다. 저는 지금 그 길로 가고자 합니다.

2

광양 발전,
이대로는 안 됩니다!

지역 발전의 생명은 가치

선거철이면 대부분의 정치인이 지역 발전을 목 놓아 부르짖습니다. 주민 모두가 환영하는 사안이기 때문일 것입니다. 저도 제가 태어나서 자란 광양이 발전하기를 애타게 바라는 사람 중 하나입니다.

그런데 지역 발전이란 게 도대체 무엇인지는 정확하지 않습니다. 사전적으로 정의할 수는 있지만 현실에서 어떻게 나타나는지는 모호합니다. 누군가는 지역에 대형 아파트 단지나 산업 단지, 쇼핑몰 등이 들어서는 것을 발전이라고 합니다. 또 어떤 사람은 도로를 넓히고 다리를 짓고 심지어는 관공서 건물을 크고 화려하게 짓는 것을 발전이라고 칭합니다. 지역 사업에 많은 예산을 끌어오는 것도 발전의 중요한 과제로 꼽힙니다.

대체로 지역 발전이라고 하면 지역에 대형 개발 사업을 벌이는 것을 연상하곤 합니다. 이런 경향은 이해할 만합니다. 기반 시설, 주거지, 공단, 상권, 학교 등이 들어서고 교통 여건이 좋아지면 주민의 생활이 편리해집니다. 인구 유입도 늘어나고 소비가 촉진되어 지역 경제가 활성화될 가능성이 큽니다.

하지만 모든 개발이 긍정적인 발전을 가져오는 건 아닙니다. 예를 들어 경기도 의정부나 경남 김해의 경전철, 대구의 모노레일 등은 지역 발전의 기대감 속에서 시작된 대형 개발 사업입니다. 하지만 다 만들고 보니 이용하는 사람이 많지 않아 엄청난 적자를 내면서 지역의 부담이 되고 있습니다. 지역에서 꼭 필요한 곳에 쓸 소중한 예산이 엉뚱한 곳에 흘러들어 가는 결과를 불러왔습니다.

저는 이런 일이 발생하는 것이 지역 발전에 접근하는 순서가 잘못되었기 때문이라 생각합니다. 주민의 행복과 편리함이라는 가치에서 출발하여 그것을 실현하는 방법으로서 개발 사업이 논의되고 추진되는 게 올바른 순서입니다. 또한 돌다리를 두드리며 걷는 태도로 신중하게 사업을 검토하고 결정해야 하며 사업을 추진할 때도 이로 인해 부당한 피해를 입는 사람이 없도록 만전을 기해야 합니다. 이해관계가 충돌하거나 반대하는 사람이 있을 때는 대화하고 설득하여 갈등을 조정해야 합니다. 그래야 주민의 행복과 편리를 추구한다는 개발 사업의 목적을 실현할 수 있습니다.

그런데 이 순서를 거스르는 정치인들이 뜻밖에 많습니다. 일단 대형 개발 프로젝트를 공약으로 겁니다. 그것이 주민에게 실질적으로 도움이 되는지, 이로 인해 고통을 받는 주민이 없는지는 따져보지 않습니다. 심지어는 실현 가능성도 염두에 두지 않습니다. 좋은 이미지를 얻고, 그로 인해 이익을 얻게 될 사람들을 자기편으로 끌어들여 표만 많이 얻으면 된다는 계산입니다. 그리고 마지막 단계에 가서야 주민이 얻게 될 이익을 따집니다. 진심으로 그것을 염려하는 게 아니라 홍보의 논리를 얻기 위해 그렇게 합니다.

선거공학과 이미지 메이킹의 천박한 논리를 따라 거꾸로 일을 진행하다 보니 나중에 심각한 부작용이 일어납니다. 당선된 이후에는 공약한 것을 잘 지키지 않습니다. 사업을 실제로 추진한다 하더라도 주민의 행복과는 거리가 먼 방향으로 흐르곤 합니다.

저는 가치의 정치를 하겠노라고 말씀드렸습니다. 지역 발전 또한 마찬가지입니다. 가치가 실현되어야 지역이 발전할 수 있다고 믿습니다. 생명 존중, 배려, 신뢰와 존중, 인권, 평화와 평등, 화해와 소통, 더불어 사는 공동체, 민주주의의 가치를 펼치는 게 진정한 지역 발전을 이끄는 최고의 방법입니다.

몇 가지 예를 들어 가치와 지역 발전의 관계를 말씀드리겠습니다. 지역에 좋은 일자리를 늘리는 방법은 여러 가지가 있습니다. 그중에서도 수익성과 발전 잠재력이 큰 공단을 유치하는 것은 좋은 방안으로 꼽힙니다. 그런데 이때 노동의 가치가 존중되어야 진정으로 좋은 일자리를 늘릴 수 있습니다. 고용노동부에 따르면 2015년 8월 기준으로 19만여 명의 노동자가 총 8,539억 원의 임금을 체불당했습니다. 같은 기간 광양, 여수, 순천 등 전남 동부 지역 기업체의 체불 임금도 87억 원이나 됩니다. 전년 8월과 비교해 20% 증가한 수치입니다. 여당 당대표가 노조를 헐뜯는 발언을 하는 데서 알 수 있듯 노동권의 가치를 존중하지 않는 풍토에서 벌어진 비극입니다.

정치가 할 수 있는 일은 정부와 지방자치단체 차원에서 체불 임금을 막고 임금 체불 기업을 강력히 관리하고 규제하는 방안을 만드는 것입니다. 법률을 정비하고 인력을 동원해서 임금 체불을 막고 노동권을 강화해야 합니다. 만약 '광양의 기업들은 적어도 임금 체불은 하지 않는다. 기본적인 노동권을 지킨다'는 인식이 생긴다면 좋은 직장을 찾는 근로자들이 광양으로 모여들 것입니다.

교육 문제도 같은 방식으로 접근할 수 있습니다. 아이들을 안전하게 보호하고 구김살 없이 자라게 하며 인격적으로 성숙한 사람으로 키운다는 가치를 우선으로 접근해야 합니다. 그러면 명문 대학이나 특수 목적고를 지역에 유치하는 게 전부가 아님을 알 수 있습니다. 정치가 앞장서서 아동·청소년 보호와 전인 교육을 위해 교사와 학부모, 전문가로 이루어진 연구 모임을 조직하고 지원하며 그것을 지역 내 학교에서 실천할 수 있도록 이끄는 것도 매우 좋은 접근입니다. 만약 광양의 어린이와 청소년들은 안전한 환경에서 밝게 웃으며 사람다운 교육을 받는다고 알려지면 부모님들은 광양에서 아이를 키우고 싶어질 것입니다.

오해는 마시기 바랍니다. 저는 개발 사업이 무익하다고 생각하지 않습니다. 가치가 살아 숨 쉬는 지역 발전을 위해서는 개발 사업도 꼭 필요합니다. 다만 화려하고 거대한 개발 사업만을 내세우지 않으려 합니다.

때로는 낡은 건물을 청소하고 페인트칠하고 수리하며 화단을 가꾸는 일이 더 시급하고 현실적일 수 있습니다. 그럴 때는 스케일이 작다는 오해를 감수하고서라도 그렇게 하겠습니다.

지역 발전의 핵심은 가치의 실현을 통해 주민이 행복해지는 것입니다. 불편함과 고통을 없애고 미래의 희망을 심어주는 것입니다. 눈물을 닦아주고 웃음이 꽃피게 하는 것입니다. 이를 위해 정치가 할 일이 많습니다. 가치로운 지역 발전을 위해 토론하고 설득해야 할 쟁점이 있다면 그렇게 해야 합니다. 법률을 고치거나 새로 만들어야 한다면 그 또한 역점을 두는 게 옳습니다. 또한 무슨 일을 추진하든지 그것에 반대하는 사람, 그로 인해 희생당하는 사람의 목소리를 귀 기울여 들어야 합니다.

지금 광양은 여러 개발 사업의 후폭풍으로 몸살을 앓고 있습니다. 갈등과 대립이 번졌고 이로 인해 고통을 겪는 사람도 많습니다. 불행히도 이것은 이미 예견된 일입니다. 지역 발전에 가치가 빠짐으로써 첫 단추를 잘못 끼웠습니다. 갈등을 조정하고 대안을 제시하는 정치력도 발휘되지 않았습니다. 광양 발전, 이대로는 안 됩니다. 가치를 출발점으로 삼아 지역 발전의 패러다임을 바꿔야 합니다.

주민 삶의 질을 높이는 게 지역 발전

가장 최근의 공식 통계에 따르면 대한민국의 GDP는 1조 4,351억 달러입니다. 세계 11위입니다. 1인당 국민소득은 2만 8,000달러 정도인데 세계 27위입니다. 일본이 24위이며, 우리 앞 순위에 인구가 작은 나라들과 중동의 산유국들이 포함되어 있다는 점을 고려하면 지표로 본 대한민국은 꽤 잘사는 나라인 셈입니다.

하지만 국민 대다수는 대한민국이 부유한 나라이며 자신이 풍요롭게 살고 있다고 느끼지 않습니다. 오죽하면 '헬조선'이라는 자조적인 단어가 다 나왔겠습니까? 이것은 우리 삶의 질이 턱없이 낮기 때문입니다. 우리는 가치가 결여되어 비인간적이고 팍팍한 삶을 힘겹게 꾸려나가고 있습니다.

이 상황을 바꿀 희망도 잘 보이지 않습니다. 이미 부의 편중이 심각한데도 이 간격을 더욱 넓히는 쪽으로 흐르고 있습니다. 예전보다 소득이 늘었다고 하지만 마음은 더 쪼그라들었습니다. 집값과 전셋값 등 주거를 유지하는 비용, 아이들을 교육하는 비용을 감당하기 어렵고 가족 중 누군가가 큰 병에 걸리면 가계가 무너집니다. 이런 상황에서 긴 노후를 대비할 엄두조차 내지 못합니다. 빚지고 쪼들리는 게, 내일을 걱정하는 게 평범한 사람들의 형편입니다. 내일을 향한 꿈으로 불타야 할 청년들조차 학자금 대출이라는 빚을 짊어지고 각박한 사회로 나섭니다. 세계 11위 경제대국 국민의 삶의 모습으로는 도저히 어울리지 않습니다. 화려한 발전을 자랑하는 숫자는 나, 그리고 내 가족과는 별 상관이 없어 보입니다.

이런 괴리가 지역 발전에서도 그대로 나타납니다. 지역이 발전했다고 하는데 근사한 건축물들이 들어선 것이 눈에 띌 뿐 삶의 힘겨움은 그대로입니다. 아니 점점 더 무거워지고 있습니다. 저는 나라의 발전, 지역의 발전은 국민과 지역 주민의 삶의 질을 높이는 것이라 생각합니다. 이는 곧 가치를 실현하는 것이기도 합니다. 태어나서 성장하고 사망할 때까지 삶의 과정을 행복하고 가치 있게 뒷받침하는 게 정치가 해야 할 일이라 믿습니다.

그런 점에서 전라남도의 출산율이 높아진 것은 매우 다행스럽습니다. 언론 기사에 따르면 2007년부터 2014년까지 8년 연속으로 합계출산율이 전국에서 가장 높은 것으로 나타났습니다. 저출산 극복을 위해 다양한 출산 장려 정책을 추진하고 출산 친화 환경을 조성해온 결과라 할 수 있습니다. 전라남도는 도내 모든 신생아 1명당 출산 양육비 30만 원을 지원하고 있습니다. 또 광양시는 산후조리원 비용과 신생아 양육비(미혼부·미혼모 가구, 입양아 가구, 조부모 가구)를 지원하고 빈혈, 저체중, 영양불량 등 취약계층 임산부 및 영유아의 영양 문제를 해소하고자 영양플러스 사업도 펼치고 있습니다. 여기에 덧붙여 성남시가 추진하고 있는 공공산후조리원 사업도 눈여겨보면 좋겠습니다. 만약 시행된다면 광양에서 잘 벤치마킹할 수 있으리라 봅니다.

아이를 안심하고 키울 수 있는 양육 환경 개선에도 많은 관심을 가져야 합니다. 박근혜 대통령은 선거 때 보육비 지원을 공약해놓고 이 책임을 가뜩이나 예산이 부족한 지역 교육청에 떠넘기고 있습니다. 이 상황에서 야당이 더욱더 정치력을 발휘해야 할 것입니다.

보육 시설인 어린이집을 수적으로나 질적으로 강화하는 데도 관심을 기울여야 합니다. 먼저 광양에 수준 높은 국공립 어린이집을 많이 지어야 합니다. 이와 함께 어린이집 환경 개선도 중요한 이슈입니다.

아동학대 예방을 위한 영유아보육법이 개정되어 2015년 9월 중순부터 어린이집은 의무적으로 CCTV를 설치해야 합니다. 그런데 우리가 충격적으로 보았던 어린이집 교사의 아동학대 사건은 버젓이 CCTV로 녹화되는 가운데 벌어졌습니다. CCTV 설치가 능사는 아닙니다. 어린이집 교사의 평균 임금이 130만 원대이고 평균 노동시간은 9.6시간이라고 합니다. 어린이집 교사의 열악한 노동 환경을 개선하지 않은 채 감시 체계만 강화한다면 아동학대 문제는 계속 발생할 것입니다. 정부와 지방자치단체 차원에서 어린이집 교사가 행복하고 편안한 환경에서 아이들을 돌볼 수 있도록 합당한 임금과 근로 조건을 제공하는 법안을 만들어야겠습니다.

주민의 삶의 질을 높이는 데 교육을 빼놓을 수 없습니다. 제가 꿈꾸는 광양의 모습 중 하나는 전국에서 아이들, 청소년들이 가장 행복한 곳입니다. 그런 곳을 만들기 위해서는 여러 제도들이 필요할 텐데, 그중 하나는 크고 작은 도서관을 많이 건립하는 게 아닐까 생각합니다. 우리 아이들이 학교를 마치고 집 근처 도서관이라는 가장 안전한 놀이터, 공부방에서 맘껏 책을 읽고 놀 수 있다면 얼마나 좋을까요.

기쁘게도 2014년 광양시립중앙도서관에 '어린이 책 놀이터'가 마련되었습니다. 하지만 집 근처에 편하게 이용할 수 있는 어린이 전문 도서관, 청소년 전문 도서관을 더 많이 지어야 한다고 생각합니다. 이웃 지역 순천에 있는 어린이 전문 도서관을 보면서 부러운 생각이 들기도 합니다. 결국 예산이 문제일 테지만, 한정된 예산 분배에서 어린이·청소년의 행복과 복지를 우선적으로 고려해야 하지 않을까 생각합니다.

요즘 교육에서 '진로 찾기'가 중요한 화두로 등장했습니다. 어릴 때 자신의 꿈을 찾고 미래를 그려보면 공부를 더욱 의미 있는 것으로 만들 수 있습니다. 이를 위해 진로 체험 시설이 중요한데, 우리 광양은 어린이와 청소년 진로 체험을 위한 천혜의 조건을 갖추고 있습니다. 세계적인 제조 공장과 물류 유통이 이루어지는 항만이 있습니다. 이와 함께 전통적 농업이 공존하고 섬진강은 전국 유일의 재첩 산지입니다. 한 지역 안에서 이렇게 다양한 직업 세계를 체험할 수 있는 곳은 거의 없습니다. 지역 내 기업과 주민이 협력하여 체험 프로그램을 만들고, 체험 시설과 숙소를 짓는다면 광양과 이웃 지역의 어린이·청소년이 이용할 수 있을 뿐 아니라 전국 학생들이 반드시 다녀가야 할 진로 체험 교육의 명소로 성장할 수 있으리라 생각합니다. 이에 대해 면밀한 연구가 필요합니다.

하지만 현실에서 미래 세대를 키우는 중대한 일들은 자주 후순위로 밀리곤 합니다. 예를 들어 광양 정현복 시장의 중점 사업이었던 어린이보육재단 설립이 시의회에서 예산이 전액 삭감됨으로써 좌초 위기를 맞이했습니다. 이 사안의 옳고 그름을 떠나 교육 관련 예산 확보가 정쟁의 희생양이 되는 현실이 서글프게 느껴집니다.

교육은 지역 주민의 삶에서 매우 중요한 주제이기에 저는 이 밖에도 여러 의견과 계획을 가지고 있습니다. 보건의료 분야 역시 중요한 이슈들이 많이 있습니다. 여기에 관해서는 뒤에 따로 지면을 할애하여 이야기하겠습니다.

최적의 입지 조건을 갖춘 광양항과 세계적 기업인 광양제철소가 있는 광양은 다른 지역과는 달리 지속적으로 성장해나갈 산업적 기반을 갖추고 있습니다. 또한 광양항이 활성화된다면 국제적인 무역도시로 발돋움할 수 있는 잠재력을 보유했습니다.

이를 기반으로 삼아 담대한 미래로 나아가려면 지역 발전이 주민의 삶의 질 향상과 궤를 함께해야 합니다. 가치가 담긴 발전을 이끄는 진정한 정치력이 발휘되어야 할 것입니다.

개발 사업, 잘해야 합니다

2015년 11월 26일, 광양 곳곳이 술렁거렸습니다. 광주지방법원의 LF아웃렛 관련 판결 때문입니다. 광양에 LF아웃렛이 생기는 것을 반대하는 상인과 토지 소유자들은 광양시장과 전라남도 지방토지수용위원회를 상대로 행정소송을 냈었습니다. 이 소송에서 광양시가 패소했습니다. 광양시장이 한 도시계획시설사업 사업시행자 지정 처분 및 전라남도 지방토지수용위원회가 한 토지 수용이 무효라는 것입니다.

재판부의 판결문을 보면 일단 토지 수용 절차가 위법하다고 합니다. 광양시는 토지를 강제 수용하는 과정에서 백지 위임장을 사용했는데, 이것은 토지 소유자의 뜻을 제대로 반영했다고 볼 수 없기에 전라남도 지방토지수용위원회의 결정이 무효라고 했습니다.

그리고 광양시가 토지 소유자들에게 '덕례지구 단위 계획을 2종 주거지역에서 준주거지역으로 바꾸겠다'는 서한을 보내고 동의서를 받을 때 사업 시행자가 'LF 네트웍스'라고 밝히지 않은 것을 지적했습니다. 또한 도시계획을 변경하고 사업 시행자를 선정할 때는 다시 동의서를 받아야 하는데도 그 과정을 이행하지 않았다는 점도 꼬집었습니다. 결과적으로 토지 수용과 도시계획 변경, 사업 시행자 선정 과정이 모두 위법하다고 판결했습니다.

이 판결로 2016년 3월 입점을 목표로 추진하던 LF아웃렛 건설 공사는 공기 40% 단계에서 일단 멈추었습니다. 광양시가 즉시 항소했지만 계획에 차질이 생긴 것은 분명합니다. 그리고 2심과 이후 재판 결과에 따라 공사가 재개될지, 아니면 아예 취소될지 알 수 있는 형편입니다.

제가 설문조사를 해본 결과 LF아웃렛이 광양 지역 경제에 긍정적인 영향을 미치게 될 것이라고 본 시민이 84%였습니다. 광양 시민 대부분이 바라던 사업에 차질이 생겼습니다. 어떤 이는 법원이 편파적인 판결로 광양의 앞길을 막았다고 분노했습니다.

그러나 LF아웃렛 광양 입점이 계획되고 추진되는 과정 그 자체에 이미 위험성이 내포되어 있었습니다. 꼭 해야 한다, 그것도 빨리 해야 한다는 강박감에 빠져 꼭 거쳐야 할 정당한 절차를 건너뛴 것입니다. 법원은 법률에 따라 그것을 지적하고 바로잡았습니다.

법원 판결이 있기 훨씬 전 누군가가 제게 LF아웃렛 광양 입점에 대해 어떻게 생각하느냐고 물었습니다. 저는 "시민이 원하는 일이니 추진해야 한다. 그렇지만 그 과정에서 반대하는 사람을 설득하며 갈등을 조정하고 지역 상인의 피해를 줄이는 방안을 강구해서 시행해야 한다. 그리고 추진 과정이 합리적이며 적법해야 한다"고 말했습니다. 그러자 질문한 사람이 "반대한다는 말인가요?"라고 화를 내듯 되물었습니다. 제가 무조건 찬성하지 않고 '그렇지만'이라는 단서를 단 것이 몹시 거슬렸던 모양입니다.

LF아웃렛이 들어서면 직접적으로 타격을 받게 될 순천 연향 상인들이 극구 반대했기에 이 사업은 광양과 순천 간의 지역 갈등도 불러왔습니다. 그러는 사이에 내 편, 네 편으로 나뉘며 진영 논리가 생기고 합리성은 사라졌습니다. 무엇보다 아쉬운 점은 이런 갈등을 조정하고 합리적인 대안을 모색하여 제시하는 정치의 기능이 상실되었다는 점입니다.

저는 필요한 개발 사업을 꼭 해야 한다고 생각합니다. 그것도 잘해야 한다고 봅니다. 그러려면 고려할 것이 많습니다. 사업으로 인해 파생될 피해를 헤아려야 합니다. 합리성과 투명성, 절차적 정당성도 갖추어야 합니다. 내가 제시한 시간 안에 내가 원하는 방식으로 해야 한다는 아집을 꺾어야 합니다. 때로는 한발 뒤로 물러서기도 해야 합니다.

이런 태도는 개발을 하지 않거나 일정을 연기하는 게 아닙니다. 사업의 효과를 극대화하고 기간을 단축하면서 긍정적 결과를 낳는 방식입니다. 세상이 변했습니다. 무조건 밀어붙이는 과거의 방식은 부작용을 불러옵니다. 그 결과 꼭 해야 할 사업이 지연되거나 아예 못 하게 될 수도 있습니다. 이번 LF아웃렛 관련 법원의 판결이 그런 위험성을 여실히 드러내었습니다.

저는 이처럼 중요한 사안을 진행하면서 과연 시민들의 뜻을 얼마나 물었으며 또 사회적 합의를 위해 얼마나 노력했는지 궁금합니다. 더 나아가 LF아웃렛이 광양 시민의 살림살이에 구체적으로, 그리고 장·단기적으로 어떤 영향을 미치는지 면밀히 검토했는지 알고 싶습니다. 또한 광양의 중소상인들을 위해 어떤 보호 대책들을 마련했는지 기존의 정치인들에게 묻지 않을 수 습니다.

규모가 큰 개발 사업은 정치인에게 큰 유혹으로 작용합니다. 눈앞에 보이는 일이기 때문입니다. "언제까지 무엇을 건설할 것인데 이로 인해 지역 주민이 돈방석에 앉게 될 것이다"라고 말하며 주민들을 유혹하기 쉽습니다. 하지만 선거 때 정치인이 제시한 개발 공약은 그 후보자가 당선되더라도 제대로 진행되지 않기 일쑤입니다.

또한 개발이 이루어진다 하더라도 개발의 이익이 지역 주민 전체에게 골고루 전해지기보다는 일부 개발 관련 업체에게만 돌아가는 경우도 적지 않습니다. 그리고 무엇보다 문제는 개발이 진행되는 과정에서 피해를 보는 사람들의 목소리가 제대로 반영되지 않는 경우가 다반사라는 겁니다.

'갈등의 조정'은 정치의 중요한 기능입니다. 사회 구성원의 이해관계가 엇갈리는 사안이 있을 때 그것을 잘 조정해내는 게 정치인이 갖추어야 할 주요한 능력 중 하나입니다. 그 갈등을 잘 처리하는 것이 바로 민주주의입니다. 그런 능력을 갖추지 못한 이는 정치인으로서 실격이라고 생각합니다. 유력한 이해당사자의 이익만 고려하고 표가 별로 안 되는 소수, 약자는 무시하는 이들도 실격입니다.

저 역시 이런 유혹에서 자유롭지 못합니다. 표를 많이 받아야 선거에서 이길 수 있기에 소수의 편에 서는 게 부담스럽게 느껴지기도 합니다. 또한 개발에 뒤따르는 갈등 조정 과정은 무시한 채 일단 개발을 외치고 싶은 유혹에 끌리기도 합니다. 그래서 귀를 열고 비판을 달게 받고자 합니다.

저는 가치의 정치를 하겠다고 결심했습니다. 가치를 기준으로 개발 사업을 따져보겠습니다. 그것이 주민의 삶을 실질적으로 개선하는 좋은 정책인지 면밀히 따져보고 제시하겠습니다. 그리고 개발 사업을 훌륭하게 해내겠습니다. 특히 개발 과정에서 발생하는 갈등 조정도 회피하지 않겠습니다.

만약 제가 선거에 나와서 추상적이고 현실성 없는 정책을 제시한다면, 혹은 지키지도 못할 공약을 제시하며 유권자를 현혹하려 한다면 호되게 나무라주시길 바랍니다. 그런 질책을 받을 때마다 제가 정치를 하려는 이유, 초심을 되새기겠습니다.

세풍산단, 개발 공약의 그림자

지역 발전을 위해 개발 사업을 진행할 때는 제대로 잘해야 합니다. 가치가 중심이 되어야 하며, 명확한 개발의 비전과 청사진이 제시되어야 합니다. 개발의 열매를 몇몇 기업과 사람들이 거두지 않고 지역 주민 전체가 수혜를 입을 수 있도록 해야 합니다. 반대하는 사람들의 의견에 귀를 기울이고 비판을 겸허히 수용해야 하며 무엇보다 개발로 손해를 입거나 고통받는 사람들이 없도록 배려해야 합니다. 그들이 소수라 할지라도 그 아픔에 공감하고 피해를 줄이기 위해 최선을 다하는 자세가 필요합니다.

세풍산단은 정치인의 개발 공약이 어떤 그림자를 안고 있는지를 잘 보여줍니다. 저는 과거 선거 때 세풍산단과 관련한 어떤 공약들이 나왔는지를 찾아보았습니다. 그 모습은 조금씩 다르지만 지방선거, 국회의원 선거, 대통령 선거에 이르기까지 후보자들은 세풍산단 개발을 장담하며 장밋빛 미래를 제시했습니다.

그러나 그 결과는 지지부진했습니다. 과연 현실성과 타당성을 제대로 따져보고 주민들에게 제시한 것인지 묻지 않을 수 없습니다. 그리고 개발이 무산되고 지연되면서 피해를 입은 거주민들의 입장과 고통은 제대로 고려되지 않았습니다.

세풍산단은 광양읍 세풍리 삼성마을 일원에 자리해 있습니다. 이곳은 지난 2002년에 복합 물류단지로 지정되었습니다. 그리고 광양만권 일대가 경제자유구역으로 지정되면서 광양만권 경제자유구역청(이후 광양경제청)이 출범했습니다.

광양경제청은 세풍 지역을 세계적인 식품 유통단지로 조성하겠다는 야심 찬 계획을 밝혔습니다. 그리고 광양시와 함께 개발 계획 수립을 위한 용역을 맡겼습니다. 하지만 이 사업은 20억 원의 용역비만 날리고 성과 없이 무산되었습니다. 이 과정에서 지역 주민이 입는 고통과 피해가 만만치 않았습니다.

곧 개발에 착수하고 주민 이주가 이루어진다는 전제에서 개발 제한 등 주민 생활에 대한 각종 규제를 해놓았는데, 식품 유통단지 조성이 백지화되면서 개발이 지지부진해지자 주민의 삶을 옥죄는 규제만 남게 된 것입니다. 그래서 이 지역 주민들은 경제자유구역에서 빼줄 것을 요구하기도 했습니다.

그렇게 시간을 끌다가 2009년에서야 세풍 지역을 일반 산업 단지로 조성하기로 개발 계획을 변경했습니다. 그리고 일반 산단 개발을 위한 특수목적법인(SPC)이 설립되었습니다. 그런데 이 SPC는 사업을 위한 자금 동원 능력이 취약했습니다. 결국 '세풍산단개발 주식회사'라는 또 다른 SPC에 사업권을 넘겼습니다. 드디어 세풍리 일원 90만 평에 대한 개발 계획이 수립되었습니다.

하지만 개발 주체인 광양경제청과 SPC는 이 계획을 일시에 추진할 자금을 확보하지 못했습니다. 그들은 전체 90만 평 중 1단계 18만 평만을 우선 개발하겠다고 밝히고 보상에 들어갔습니다.

복합 물류단지 조성 계획에 따라 일부 지역이 준공업지역으로 지정된 2002년부터 세풍 지역 주민들은 말할 수 없는 불편과 피해를 감내해야 했습니다. 이 마을은 대대로 농사를 짓던 곳입니다. 주민들은 농업을 천직으로 알고 살았습니다. 그런데 개발 예정 지역이라는 명목으로 농업 기반 시설에 대한 투자가 전혀 이루어지지 않았습니다. 마을에 대한 공적인 투자가 사실상 중단되면서 주민들은 재산권을 제약 받았을 뿐 아니라 일상

생활의 불편까지 감내해야 했습니다.

그런데 선거 때면 거의 모든 후보가 세풍산단 개발이 지역 발전의 호기가 될 것이라며 반드시 그것을 성사시키겠노라고 장담해왔습니다. 하지만 선거가 끝나 당선된 후에는 세풍산단 개발은 지방자치단체가 책임질 일이 아니라 관할 기관이 따로 있다며 말을 바꾸었습니다. 광양경제청이 자금을 확보하지 못해 개발 자체가 무산될 위기에 처했을 때도 법적으로 광양시가 나설 수 없다는 원론만을 반복해서 내놓았습니다. 개발 지연으로 이 지역 주민들이 겪는 고통도 나 몰라라 했습니다.

광양경제청은 주민 이주 대책도 세우지 못한 상태에서 보상에 들어갔습니다. 그나마도 일시 보상이 아닌 단계별 보상입니다. 주민들이 생활 터전을 옮기는 데 지장이 생길 수밖에 없습니다.

단계별 개발이기 때문에 집은 보상을 받고 농지는 남게 된 사람들은 일단 1단계 개발 지역을 벗어난 인근 마을로 이사합니다. 그리고 추가 개발이 진행되면 또다시 이사를 해야 하는 수고와 불편이 기다리고 있습니다.

일괄 보상이 아닌 데다 농기계에 대한 폐업 보상이 이루어지 않았고 준공업지역으로 농지가 묶이면서 보상금에 대해 수천만 원의 양도세까지 부과되었습니다.

우여곡절을 거친 끝에 세풍산단에는 기능성 화학 클러스트가 조성될 것이라 합니다. 다시 이곳을 주목하며 밝은 미래를 이야기하는 사람들이 많습니다. 하지만 오랫동안 이 땅을 지켜오다 개발 과정의 우여곡절과 피해를 고스란히 입은 주민들에 대한 배려는 찾아볼 수 없습니다.

이것은 지역 개발에서 정치의 역할이 실종되었기 때문입니다. 개발 공약으로 표만 얻으면 된다는 무책임한 발상이 더 이상 지속되어서는 안 됩니다. 세풍 지역 주민들처럼 지역 개발 사업 과정에서 부당한 고통을 겪는 이들이 더는 생기지 않도록 각별한 배려와 노력이 요구됩니다.

교육,
가치와 상식의 회복에서 출발

　이홍하라는 인물이 있습니다. 이 사람은 광양읍에 있는 두 대학, 한려대학교와 광양보건대학교의 설립자입니다. 그는 5개의 학교법인과 9곳의 학교를 설립했는데, 공기(公器)가 되어야 할 학교를 개인 사업체처럼 운영하며 전횡을 일삼았습니다. 전국에 비리 사학으로 지탄을 받는 사람이 여럿 있지만 이홍하는 그중에서도 정도가 심한 축에 든다는 게 제 생각입니다.

　대학의 설립자이자 실질적 운영자인 이홍하는 2007년부터 2012년까지 5년간 400억 원이 넘는 광양보건대학교의 교비를 횡령했습니다. 다른 학교의 횡령액을 합하면 1,000억 원도 넘습니다. 그런데 학교법인 양남학원의 이사장과 이사들은 이를 저지하기 위한 그 어떤 노력도 하지 않았습니다. 사실상 동조하고 협력한 것이나 마찬가지입니다.

　교비 횡령은 학생들의 소중한 등록금을 강탈함으로써 그들의 교육 기회를 뺏는 파렴치한 범죄입니다. 분노한 학생들이 법률적인 대책을 마련하고자 광양 출신이며 민변 소속의 변호사로 활동 중인 저를 찾았습니다. 저는 학생들과 의논했고 소송 대리인을 맡았습니다. 광양보건대학교 재학생과 졸업생 144명이 학교법인과 이홍하, 이홍하의 처이자 법인 이사인 서복영, 법인 이사장 등을 상대로 손해배상으로 등록금 환불 청구 소송을 제기했습니다.

　광양보건대학교 학생들이 정상적인 등록금을 내고도 시설과 설비, 실험실습 여건 부족 등으로 제대로 된 교육을 받지 못했으며, 이런 열악한 현실로 보건의료 관련 중견기술인으로서의 실력이 충분히 배양되지 않은 상태에서 학교를 마쳤거나, 아직도 그런 상황에서 교육을 받고 있는 실정이므로 이로 인한 손해를 배상해야 한다는 주장의 소송입니다.

　이런 소송은 상징적인 이의 제기 차원에 그치지 않습니다. 지난 2010년에는 한려대학교 학생들이 이홍하 설립자와 학교법인 서호학원 등을 상대로 한 소송에서 승소했으며 최근 수원대학교 학생들이 학교법인과 학교의 실질적 운영자를 상대로 제기한 손해배상 소송에서 승소하기도 했습니다.

광양보건대학교는 2015년 11월 20일 대학 비전 선포식을 가졌습니다. 앞으로 광양보건대학교가 정상화되어 비전 선포식에 선언한 '학생이 행복한 대학, 지역을 풍요롭게 하는 대학, 지속 가능한 대학'으로 발전하기를 바라고 응원하겠습니다.

저는 변호사로서 우리 지역 대학의 재학생과 졸업생 등 젊은 이들과 악질 사학에게 책임을 요구하는 일에 함께할 수 있어서 보람을 느낍니다. 하지만 기성세대의 일원으로서 사학을 바로잡는 책임을 다하지 못해 학생들에게 피해와 고통을 전가했다는 자책도 가지게 되었습니다.

선거 때면 지역에 대학을 유치하겠다는 공약이 등장하곤 합니다. 실현 가능성과 의지가 있다면 가치가 있는 공약입니다. 그런데 그보다 앞서 지역의 대학들이 가치와 상식에 맞게 운영되고 있는지 살펴보고 잘못된 점은 바로잡고 잘하고 있는 것은 더욱 격려하고 지원하는 노력이 필요하다고 생각합니다. 그럼으로써 교육 현장의 부실과 부패를 엄단하며 지역 교육을 바른 방향으로 이끌 수 있을 것입니다. 그런 측면에서 광양보건대학교와 한려대학교를 시립화 또는 국립화하는 방안에 대해서도 적극적으로 검토할 필요가 있습니다.

저는 2008년 제기되었던 순천대학교 공과대학의 광양 이전 추진 및 그 좌절 과정에 대해 깊은 아쉬움을 가지고 있습니다.

이 사안은 이웃 지역 간의 갈등을 야기하며 무산된 일이기에 더욱 아쉬움이 큽니다.

순천대학교 공과대학 이전 문제는 순천대학교 총장을 비롯한 교수진들이 학교 발전과 생존을 위한 조치를 마련하려는 과정에서 나왔습니다. 공대 교수들의 투표에서는 89.9%로 찬성 의견이 높았습니다. 광양시는 환영의 뜻과 함께 이전이 확정되면 학교 설립 부지를 무상으로 제공하겠다는 의지를 밝혔습니다.

그리고 포스코는 비공식적이긴 하지만 지역 대학 지원 사업 일환으로 연구비와 학교 운영비 일부를 지원하고 공과대학 졸업생 일부를 취업시켜 주겠다는 계획을 이야기하기도 했습니다.

하지만 순천시와 지역 여론이 굉장히 나빴습니다. 공대 캠퍼스 광양 이전 문제의 추진 과정 및 이전을 통해 얻을 수 있는 장점과 단점에 대한 합리적 토론보다는 소지역주의를 부추기는 방향으로 논의가 전개되었습니다. 물론 순천 시민들이 자부심을 갖고 키워온 대학의 일부를 이웃 지역으로 이전하는 게 달갑게 느껴질 리 없었을 테지만, 처음 이전 방향을 세우고 추진하던 순천대학교의 입장은 사라지고 '순천을 지나치게 사랑한' 일부 정치인들 및 시민들이 반대운동을 주도했습니다. 급기야 '광양이 순천대를 빼앗아간다'는 터무니없는 모함까지 등장했습니다. 지역과 대학, 그리고 기업이 협력할 수 있는 계기라는 데 대해서도 그렇다면 "전국의 공과대학들이 모두 공단으로 들어가야 옳은가?"라며 비꼬았습니다. 이런 순천 지역민들의 의견은 일면 이해할 만합니다. 그리고 광양에서 주도하고 추진한 일이 아니었기에 광양시민의 입장에서 "빼앗아간다"는 말이 몹시 억울하고 부당하게 느껴진 것 또한 사실입니다.

문제는 지역 간 갈등의 회오리에 휩싸여 오랜 고민 끝에 나온 사안의 본질이 퇴색했다는 것입니다. 더욱이 이럴 때 갈등을 조정하고 중재하면서 바람직한 대안을 모색하는 정치력이 발휘되지 못한 것도 큰 아쉬움입니다.

제가 8년 가까이 지난 일을 다시 거론한 것은 그때의 잘잘못을 따지거나 상처와 갈등을 되새기고자 함이 아닙니다. 순천대학교의 미래를 위해, 그리고 순천과 광양 지역을 위해 가장 좋은 방안일 수 있었던 순천대학교 공대 캠퍼스 이전 문제가 지역 간 갈등의 문제로 좌절되고 그 갈등을 조정하고 중재하는 정치력이 전혀 발휘되지 못했던 데 대한 진한 아쉬움 때문이고, 앞으로는 유사한 과정이 발생하지 않기를 바라는 마음 때문입니다.

캠퍼스를 다원화하는 것은 대학 발전의 한 방법으로 적극적으로 모색되고 있습니다. 예를 들어 서울의 동덕여자대학교 패션디자인과는 본교가 있는 성북구 하월곡동에서 멀리 떨어진 강남구 청담동에 있습니다. 청담동은 유명 브랜드의 의류 판매

점들이 밀집된 곳입니다. 학생들이 오가며 실무 감각과 안목을 익히기에 최적의 장소인 셈입니다. 그래서인지 캠퍼스를 옮긴 후 패션디자인과는 인지도와 입시생의 지원, 교육의 질 면에서 크게 발전했으며 취업률도 높아졌다고 합니다.

이런 사례들을 깊이 고려해서 앞으로 광양과 순천의 교육 환경을, 깊은 갈등의 골을 남긴 채 찻잔 속의 태풍으로 끝난 일을 다시 추진하자고 말하는 게 저로서는 두렵게 느껴지기도 합니다. 하지만 이런 일일수록 정치가 필요하다고 봅니다. 가치에 입각한 정치 역량을 발휘하면 감정 대립으로 치닫지 않고 좋은 방향으로 이끌 수 있다고 믿습니다. 지역 교육의 발전 역시 가치의 정치에서 해답을 찾아야 합니다.

광양에서 심근경색이 발병하면

안타깝지만 일어날 수 있는 상황 하나를 생각해보겠습니다. 광양의 어느 면에서 흉통과 호흡곤란 증상을 보이는 환자가 발생했습니다. 그러면 119 구급차가 출동할 것이고 그 환자를 실어서 지역 병원으로 옮길 것입니다. 거기서 응급조치를 한 후 가장 가까운 대학병원인 전남대학교 화순병원으로 다시 이송합니다.

이 과정은 총 2시간이 넘게 걸립니다. 그런데 이 2시간은 심각한 시간입니다. 급성 심근경색은 발생 직후 병원에 도착하기 전까지 30% 정도가 사망한다고 합니다. 발병 2시간 이내에 적절한 치료를 해야 하는데 그 골든 타임을 놓치는 경우가 많기 때문입니다.

저는 아버님이 심근경색으로 쓰러지셨다가 몇 개월 후에 돌아가셨기 때문에 발병 후 빠른 조치가 특히 중요함을 뼈저린 경험으로 알고 있습니다. 또 변호사로서 한국의료분쟁조정중재원 감정위원으로 활동하면서 이 사실을 더 절감했습니다. 의료 분쟁에서는 급성 심근경색이나 뇌경색 환자가 1, 2차 의료기관을 찾았을 때 정확한 진단을 하고 곧바로 대학병원 등 치료가 가능한 병원으로 옮겼는지가 과실을 판단하는 중요한 근거가 되기도 합니다.

이것은 광양시의 문제만이 아닙니다. 순천시 주암면이나 황전면, 여수시 삼일면이나 화양면도 마찬가지입니다. 광양, 여수, 순천, 구례, 고흥, 보성 등에 거주하는 약 90만 명의 사람들이 같은 위험에 처해 있습니다. 전남 동부 지역에 대학병원이 절실하게 필요한 이유를 여기서 찾을 수 있습니다.

긴급을 다투는 환자가 아니더라도 주민들은 여건이 좋은 병원에 대한 요구가 큽니다. 2014년 지방의 환자 266만 명이 수도권으로 '원정 진료'를 갔다는 기사를 보았습니다. 큰 병이 생기면 무조건 수도권으로 가야 한다고 생각하는 게 일반의 정서라고 합니다. 의료 자원이 수도권에 몰려 있기 때문입니다. 이런 점을 볼 때에도 근처에 믿을 만한 대형 병원이 없는 전남 동부 지역에서는 대학 병원이 절실히 필요합니다.

그 방안 중 하나로 거론된 것이 순천대학교 의과대학의 설립입니다. 의과대학과 함께 자연스럽게 대학병원이 설립되기 때문입니다. 순천대학교 의과대학 유치는 순천시민의 오랜 숙원이었습니다. 하지만 그 성사가 쉽지 않았습니다. 그러다 이 문제가 다시 수면 위로 떠올랐습니다. 2014년 국회의원 재보궐 선거에서 새누리당 이정현 후보가 공약으로 내걸었기 때문입니다.

이정현 의원은 박근혜 대통령의 핵심 측근임을 강조하며 자신을 뽑아주면 '예산 폭탄'을 투하하고 순천대 의대를 반드시 유치하겠다고 약속했습니다. 누구를 선택할 것인가가 공약만으로 결정되는 일은 아니지만, 이정현 의원의 경우에는 '박근혜 대통령의 핵심 측근'이어서 '예산 폭탄'도 가능하고 '순천대 의대 유치'도 가능하다는 논리적 접근을 했기에 이를 단지 공약이었다고 치부하기 어렵습니다.

그리고 그의 이러한 논리는 1988년 이후 26년 만에 처음으로 호남에서 새누리당 후보가 당선되는 데 결정적 기여를 했습니다. 그런데 안타깝게도 이 공약은 지켜지지 않았습니다. 그 대신 이정현 의원은 '국립보건의료대학 유치'라는 새로운 카드를 가지고 나타났습니다.

2015년 5월 이정현 의원을 대표 발의자로 하고 김을동 의원을 포함한 48인이 공동 발의한 '국립보건의료대학 및 국립보건의료대학병원의 설치·운영에 관한 법률안'은 공공보건의료 전문 인력을 양성하기 위해 보건복지부 산하에 국립보건의료대학 및 국립보건의료대학병원을 설립하고, 국립보건의료대학의 학사 학위를 수여받고 의사국가시험에 합격한 사람은 10년간 공공보건의료기관에서 의무복무를 한다는 것이 핵심 내용입니다.

새로 설립될 국립보건의료대학은 교육부 장관이 아니라 보건복지부 장관이 설치하고 관리·감독하도록 되어 있습니다. 이것은 지금은 없어졌지만 국세청 산하의 세무대학처럼 특수한 형태의 대학입니다. 말하자면 이정현 의원이 대표 발의한 법률안은 순천대에 의대를 유치하는 것이 아니라 새로운 의과대학을 설립하는 방향입니다.

11월 27일에는 순천시청 대회의실에서 '순천대학교 의과대학 유치를 위한 바른 길 찾기'라는 제목의 공청회가 열렸는데 여기에 이정현 의원도 참석했습니다. 순천대 의대가 아닌 새로운 의과대학 설립 법안을 제출한 이정현 의원이 이러한 제목의 공청회에 참석한 이유가 무엇이었을까요. 저는 이정현 의원이 아래의 문제에 대해 대답해야 한다고 봅니다.

첫째, 순천대학교 의과대학 유치를 포기했음을 솔직히 고백해야 합니다. 최근에 일고 있는 상당한 논란은 이정현 의원이 발의한 법률안의 내용과 순천대학교 의과대학 유치가 같은 것이

거나 또는 양립(兩立) 가능하다는 오해에서 비롯된 것들입니다.

둘째, 이 법률안이 통과되어 국립보건의료대학이 설립된다면, 이 대학을 순천에 유치할 수 있다는 확증이 있느냐에 대해 답해야 합니다. 이정현은 의원은 박근혜 대통령의 핵심 측근이므로 다른 사람은 못 해낸 순천대 의대 유치를 할 수 있다고 하여 표를 얻어 당선되었습니다. 그런데도 순천대 의대 유치에 실패했습니다. 이런 점을 볼 때 국립보건의료대학을 순천으로 유치할 수 있다는 주장도 그대로 믿기는 어렵습니다. 이정현 의원보다 '더 핵심'인 측근들이 즐비한 새누리당 내에서 더 힘센 국회의원들이 자신의 지역구로 국립보건의료대학을 가져가겠다고 했을 때, 이를 어떻게 이겨내고 순천으로 유치할 수 있다는 것인지 답해야 합니다.

셋째, 주지하다시피 의과대학의 교육과정은 예과와 의과로 구분됩니다. 예과 2년 동안 생물학, 화학, 생화학 등 기초 학문들을 배우고 난 후 의과 4년 동안 본격적으로 의료를 공부하는 것입니다. 그런데 국립보건의료대학의 경우 의과만을 전제로 하는 특수대학입니다. 예과를 공부시키기 위해서는 별도의 이과대학이 있어야 합니다. 이 문제를 어떻게 해결할 것인지에 대해서도 답해야 합니다.

이 모든 문제에 대해 정확한 답을 내놓아야만 국립보건의료대학 및 대학병원 유치를 통해 순천대 의대 유치 실패를 만회할 수 있다고 비로소 말할 수 있을 것입니다.

만일 이 문제에 제대로 답하지 못하고, 그저 선거를 앞두고 유권자들을 현혹할 계획이라면 지금이라도 당장 그만두라고 말하고 싶습니다. 거듭 말하지만 대학병원 문제는 순천만의 문제가 아니고, 광양을 비롯해 여수, 구례, 고흥, 보성 주민들에게도 중요한 사안이기 때문입니다.

저는 굳이 지역 대학에 의과대학을 신설하는 것을 고집할 게 아니라 기존 대학의 의과대학과 대학병원을 전남 동부 지역으로 이전하는 계획이 더 현실성이 크다고 생각합니다. 그리고 대학병원만을 신설하는 방향도 있습니다. 예를 들어 서울대학교병원은 서울 혜화동과 성남 분당 2곳에 있습니다. 부산대학교병원 역시 부산에도 있지만 경남 양산에도 있습니다.

대학병원은 선거 공약이나 정치 논리를 따라 가능성이 낮거나 바라던 것과 다른 방향으로 흐를 가능성이 있는 방안에 매달리며 불분명하게 처리하기에는 너무나 시급하고 중요한 문제입니다. 책임 있는 자세로 현실적인 대안을 강구하고 추진해야 할 것입니다.

백운산 문제 해결

백운산은 광양 지역 한가운데 우뚝 솟아 광양인의 자긍심을 높여주는 명산입니다. 그런데 이 백운산의 법률상 주인은 광야이나 구례가 아닙니다. 정부 소유도 아닙니다. 서울대학교가 소유권을 가지고 있습니다. 이렇게 된 역사적 이유는 일제강점기까지 거슬러 올라갑니다.

일제는 '토지 조사령'을 내려서 주민 소유의 임야를 무단으로 강탈했습니다. 그리고 백운산을 당시 동경제국대학의 연습림으로 넘기고 일제의 학술 연구 등에 사용합니다.

1945년 해방과 함께 백운산이 시민의 품으로 되돌아오리라 기대했건만 이것은 희망으로 끝나고 말았습니다. 미 군정청이 서울대학교에 80년간 무상으로 대여했기 때문입니다.

아쉽지만 과거 결정을 존중한다 하더라도 2026년이면 무상 사용 기간 80년이 끝나고 백운산이 지역 주민의 소유로 이전되어야 합니다. 하지만 2010년 12월 8일, 정부가 주도하고 국회에서 날치기로 통과시킨 '서울대학교 법인화법'에 따라 이마저도 불투명해졌습니다.

이 법률에 따라 서울대학교는 백운산을 서울대 법인으로 소유권을 이전해 영구 소유를 시도하는 것으로 보입니다. 그간 서울대학교는 백운산 문제와 관련해서 시민의 반감을 크게 샀습니다. 고로쇠 수액 채취 수수료를 다른 지역보다 매우 비싸게 받아서 이익을 챙겼으며, '맹아갱신(萌芽更新: 나무를 베어낸 후 그루터기에서 발생시킨 맹아를 성장시켜 임분을 바꾸는 것)'을 명분으로 수목을 무차별로 베어내기도 했습니다. 특히 백운산에 43기의 고압 송전탑을 설치하도록 동조해줌으로써 아름다운 자연경관을 훼손한 것은 공분을 샀습니다.

그런 서울대가 백운산을 영구 소유할 움직임이 일자 광양시민들의 분노와 안타까움이 커졌습니다. 광양 지역 시민사회단체들은 '광양백운산지키기협의회'를 조직하고 백운산을 되찾아 오는 운동을 전개하고 있습니다. 백운산 소유권을 서울대학교로 이전하는 것을 막기 위해 '백운산의 시민 매입', '백운산 국립공원화' 등의 방안을 내놓기도 했습니다. 하지만 실질적인 성과를 얻지는 못했습니다.

광양백운산지키기협의회는 광복 70주년에 즈음한 시점에서 기자회견을 열고는 "광복 70주년, 과연 백운산은 해방되었는가?"라고 도발적 질문을 던졌습니다. 그리고 "대한민국 온 땅이 해방의 기쁨을 나누고 있지만 광양 백운산은 진정한 기쁨을 누리지 못하고 있다"고 안타까운 마음을 표현하기도 했습니다.

백운산 소유권 문제는 광양에서는 LF아웃렛만큼이나 뜨겁고 논쟁적인 주제입니다. 서울대 입장에서 보면 지금껏 법적 승인 하에 백운산을 사용해왔으며 또 오랫동안 진행되어 온 학술적 연구의 가치도 무시하지 못할 것입니다. 그러나 광양, 구례 주민 입장에서 보면 일제강점기 이후로 주민의 의사나 이익과는 전혀 상관없이 빼앗긴 셈입니다.

참 쉽지 않은 주제이지만 상생할 수 있는, 서로 100% 만족하지는 못하더라도 합의점에 이를 수 있는 현실적인 방안을 모색해야겠습니다. 그것이 정치의 몫이라 생각합니다.

3

서동용이 살아온 길

역사의 아픔이
드리운 땅에서 태어나

전라남도 광양군 골약면 황길리 53번지. 호적 제도가 있던 시절의 제 본적이며, 현재 등록 기준지입니다. 저는 이곳에서 태어나서 초등학교 입학하던 해까지 자랐습니다. 예로부터 텃골로 불리던 이 지역은 '터 기(基)'에 '마을 동(洞)' 자를 써서 기동마을이라고도 했습니다. 마흔 가구 내외가 살던 작은 마을로 달성 서씨 집성촌이기도 합니다.

제 할아버지는 육(六) 자, 석(錫) 자를 쓰셨는데, 손가락이 여섯 개셨다고 합니다. 함자에서 느껴지듯 할아버지는 가난한 삶을 사셨습니다. 할아버지께서는 일제강점기 때에는 광양읍 초남리 광산에서 일하시다가 해방되던 해에 기동마을로 돌아오셨다고 합니다.

제 아버지 위로는 두 분의 큰아버지가 계셨습니다. 맏형이던 큰아버지는 젊은 시절 동네에서 이름을 날리던 분이셨다고 합니다. 지금도 연세가 많은 분들은 제 큰아버지에 대한 기억을 이야기하곤 하십니다. 인물이 수려하고 기골이 장대했으며 쩌렁쩌렁한 목소리로 연설을 잘하던 분이셨으며 매우 똑똑한 사람이었다고 합니다. 큰아버지는 초남리에 살 때부터 책 읽기를 좋아하셨는데, 밤늦게까지 등잔불을 켜고 책을 읽으셔서 밤마다 할아버지가 말릴 정도였다고 합니다.

기동마을로 돌아온 후 큰아버지는 근처 염전에서 천일염을 채취해서 구례, 임실, 남원 등지에 팔았습니다. 당시는 소금이 귀하던 시절이라 소금 한 가마를 메고 나서면 돌아올 때는 쌀 한 가마로 바꿔서 짊어지고 왔다고 합니다. 큰아버지는 소금 장사로 가족의 생계에 보탬을 주는 걸 크게 즐거워하셨습니다. 그런데 이 귀한 소금을 경찰에게 빼앗긴 일이 두어 차례 있었습니다. 큰아버지는 일제강점기 때 친일을 일삼던 나쁜 사람들이 해방된 조국에서조차 약한 사람들을 수탈하는 이 기막힌 모순을 뼈저리게 경험하신 겁니다. 그리고 이런 과정에서 분노를 삭이며 사회구조에 대한 고민을 시작하셨던 것 같습니다. 그리고 불행히도 좌익 활동을 시작하셨습니다. 그러다 6·25 전쟁 중에 사망하셨습니다.

좌익 활동을 하던 큰아버지 때문에 할아버지와 할머니는 수시로 경찰에 연행되어 갖은 고초를 치르셨습니다. 경찰이 큰아들과 그의 동료들의 방문 여부와 행선지를 물으며 고문했다고 합니다. 이를 본 작은 큰아버지께서 결단을 내리셨습니다. 그분은 부모님을 위해 형님과 맞서는 길을 선택하셨습니다. 국군으로 입대하신 겁니다. 그리고 얼마 지나지 않아 포항 신기동에서 장렬히 전사하셨습니다. 지금은 대전 현충원에 묻혀 계십니다.

두 아들이 서로 적이 되어, 한 사람은 인민군복을 입고 또 한 사람은 국군 군복을 입은 채 전사하는 기막힌 아픔을 연이어 겪은 할아버지와 할머니는 마음의 병을 얻으셨는지 얼마 지나지 않아 돌아가셨습니다. 제 아버지는 스무 살도 되지 않아 가장이 되어 동생들을 돌보며 집안을 책임져야 했습니다. 그런 아버지께서는 주변 사람들에게 서운한 일을 겪으면 "만약 형님이 살아 계셨으면 이렇게 하겠느냐"고 고함을 치시며 따지곤 하셨다고 합니다.

할아버지와 할머니가, 그리고 아버지가 겪으셨던 아픔은 우리 민족이 겪은 아픔의 축소판입니다. 좌우의 대립과 전쟁의 참화 속에서 의로운 젊은이들이 꽃다운 목숨을 내놓아야 했습니다. 그리고 그분들로 이 고통은 끝나지 않았습니다. 후대로 이어져 내려갔습니다. 그리고 서러운 기억 중 일부는 그 이름과 존재

자체를 기록에서 지울 정도로 두려운 것이었습니다.

특히 전남 동부 지역에서 대를 이어 사신 분들 중에는 여순 사건의 상처를 안고 계신 분들이 많습니다. 저희 가족과 비슷한 비극적인 가족사를 깊은 생채기로 안고 살아왔습니다. 그것을 감히 입에 올리지도 못하고 가슴에 아픔을 묻어두고 지냈습니다.

레드 콤플렉스가 유령처럼 우리 사회를 짓누르던 시절, 반공이라는 한마디면 쉽게 인권을 훼손할 수 있던 때, 이 고통은 지극히 현실적인 것이었습니다. 저 역시 이렇게 고통의 피가 스며든 땅에서 태어났습니다. 자라면서 그것을 의식하지 못했지만 말입니다.

차별과 편견의 상처

호남은 과거부터 비옥한 평야 지대입니다. 다른 지역보다는 농사가 잘되어 비교적 잘살았습니다. 또한 해안을 끼고 있는 환경으로 어업을 통해 기본적인 생활을 영위할 수 있었습니다. 하지만 굴곡진 역사를 거치며 점점 살기 어려운 곳으로 변모했습니다.

먼저 일제강점기의 농산물 수탈로 농업 기반이 파괴되었습니다. 그리고 박정희 대통령 집권 이후 진행된 공업화 과정에서도 소외되었습니다. 이때 많은 사람이 생계를 위해 외지로 빠져나가야만 했습니다. 이 과정에서 부산으로 이주한 사람들도 있습니다. 제 작은아버지, 외삼촌, 이모도 이때 부산으로 가서서 지금까지 살고 계십니다. 그리고 이보다 더 많은 사람이 서울로 모여들었습니다. 어찌 보면 호남 사람의 서울 집중은 당연한 현상이었습니다.

하지만 농사짓는 것 말고는 할 수 있는 게 없는 호남 사람들의 서울 정착은 쉽지 않았습니다. 많은 이들이 서울역 대우빌딩 뒤 양동 등지의 빈민 주거지로 몰려들었습니다. 그리고 밑바닥 직업을 선택하여 악착스럽게 살지 않으면 안 되었습니다.

그런데 비교적 공업화의 혜택을 더 많이 받은 영남 지역 사람들의 서울 진출은 이와 다른 면이 있었습니다. 공부를 더하기 위해서나 더 나은 기회를 찾아서 상경한 사람들이 많았습니다. 말하자면 악착스럽게 살아야만 할 이유는 덜했습니다.

호남 사람들이 생존을 위해 애쓰는 과정은 지역에 대한 이미지, 편견이나 선입관을 형성하기도 했을 것입니다. 무엇보다 결정적으로 선거에 이기고자 지역감정을 조성하고 확산시킨 사악한 경향이 존재하면서 호남 차별의 골이 깊어졌습니다.

제가 대학생활을 할 때 거주하며 신세를 졌던 당숙께서도 살길을 찾아 자녀를 셋이나 데리고 서울로 이주하셨습니다. 이분은 서울역에 도착했을 때 그 당시 돈으로 400원 정도밖에 없었다고 합니다. 일가족 다섯 명이 서울에 도착해서는 양동 사창가 바로 옆에서 생활을 시작했습니다. 당숙께서는 넝마를 줍고 당숙모는 가정부와 식당 종업원으로 일하며 힘겹게 살았습니다.

그리고 양동을 벗어나 마포 염리동 쪽으로 이사했을 때는 '이제 자리를 잡았다'는 느낌마저 들었다고 했습니다. 그곳도 매한가지의 달동네인데 말입니다. 이후에는 사당동의 달동네에 살게 되셨습니다. 평생을 가난에서 벗어나지 못하고 어렵게 사신 분들이라 울분을 가지고 있었고 때로는 그것이 거칠게 표현되기도 했습니다.

저는 변호사 생활을 하면서 흥미로운 현상을 느끼곤 합니다. 학회 회의 등 전문가들이 모이는 행사에 참석해보면 경상도 사투리를 쓰는 사람들이 꽤 많습니다. 그런데 전라도 사투리를 쓰는 사람은 드뭅니다. 그 자리에 호남 사람이 없어서 그런 것은 아닙니다. 서울에서 전라도 사투리를 쓰는 게 개인 성장의 장해가 되기 때문일 것입니다.

호남 사람들이 오해와 차별에 시달렸던 건 부정할 수 없는 사실일 겁니다. 그런데 제가 생각하기에 호남 사람 중에서도 광양 사람들이 특히 더 큰 편견의 대상이 되었던 것 같습니다. 이웃 지역 순천과 비교하면 그것이 확연히 느껴집니다. 순천은 살기 좋은 곳으로 꼽힙니다. 열린 분지로 교통 환경이 좋습니다. 그에 비해 광양은 척박합니다. 바다라는 도전도 존재했습니다. 이렇듯 험난한 역사와 환경을 헤치며 살아오는 동안 형성된 거친 이미지가 편견의 근거가 되었을지도 모릅니다.

차별받는 땅에서 태어난 제 아버지는 본능적으로 억척스러움을 키워나가셨습니다. 전쟁이라는 역사의 비극 속에서 의지하던 부모님과 형님을 여의고 열여덟 나이에 집안을 책임져야 했으니 당연한 일이었습니다. 그리고 저는 아버지의 억척스러움에 사사건건 반기를 들곤 했습니다. 지금 후회를 해본들 돌이킬 수 없지만 말입니다.

아버지는 어머니와 결혼할 당시 처가의 반대에 부딪혔습니다. 찢어지게 가난한 집안에 딸을 시집보내는 건 자연스러운 일이었습니다. 그런데 어머니의 오빠, 즉 저의 큰외삼촌께서 똑똑한 큰아버지를 보고 어머니의 혼인을 적극 추진하셨습니다. 똑똑한 집안이니 믿을 수 있다는 겁니다. 그렇게 어머니와 결혼하신 후 저를 포함한 2남 3녀를 낳아 키우며 고향 광양을 터전으로 평생을 사셨습니다.

아버지는 골약면 예비군 중대장으로 근무하시다가 1971년 사임하셨습니다. 그해 우리 가족은 대대로 살던 고향 마을을 떠나 광양읍으로 이사를 했습니다. 당시 골약초등학교 1학년이던 저는 광양서초등학교로 전학했습니다. 그때부터 광양읍에서 지내며 학교를 다녔습니다.

제가 기억하기로 그 무렵 아버지는 공화당 지역사무소에서 일하셨습니다. 여당 성향이 강했던 아버지는 박정희, 김종필 등의 공화당 인사가 1967년 대통령 선거 당시 광양에서 연설하는 장면의 사진을 방에다 걸어두셨습니다. 그 후 광양군 산림조합의 직원으로 근무하셨습니다. 당시로서는 안정적인 직장이긴 했지만 그렇다고 집안 살림이 넉넉했던 건 아닙니다. 조합원들이 낸 조합비로 운영되는 조직이라 춘궁기에는 조합비를 걷지 못해 급여를 제대로 받지 못하셨습니다. 산림조합에서 일하시던 10여 년간 매년 봄이면 돈이 없어 아버지와 어머니가 쩔쩔매시던 기억이 납니다. 아버지의 평생 꿈은 조상들이 살아오던 곳이며 당신의 고향인 골약면의 면장을 하는 것이었습니다. 그리고 그 꿈을 이루기 위해 고군분투하셨습니다.

저는 아버지와 자주 부딪혔습니다. 착하고 말 잘 듣는 평범한 유년기와 청소년기를 보낼 때는 큰 갈등이 없었습니다. 아버지는 공부 잘해서 지역 명문 고등학교를 다니고 명문 대학에 입학한 아들을 자랑스러워 하셨습니다. 하지만 대학에 들어가 운동권 학생이 되면서부터는 갈등의 연속이었습니다.

저는 아버지의 억척스러움이 싫었습니다. 당신의 바람과 기준에 저를 가두는 것을 거부하고 싶었습니다. 하지만 나이가 들면서 아버지가 그립습니다. 제가 사법시험에 합격하여 변호사가 되고 아버지의 인생이 담긴 광양에서 정치를 하겠다고 나선 것을 못 보시고 떠나신 게 안타깝습니다.

아버지는 여당 당원이었지만 합리적 의식을 가지고 계셨습니다. 대개의 여당 당원과는 의식이 남달랐던 것으로 기억합니다. 여당이 잘못하는 것에 강하게 분노하며 반발하기도 하셨습니다. 1979년 4월 김영삼 당시 국회의원이 국회에서 제명된 것을 보고 이것은 분명히 옳지 못하다며 안타까워 하셨습니다. 데모하는 학생들을 이해하고 긍정적으로 보셨습니다. 물론 당신의 아들이 그 자리에 있는 것은 아버지로서 받아들이기 어려웠지만 말입니다.

2015년 여름, 광양에 변호사 사무실을 열던 날 많은 분들의 축하와 격려를 받았습니다. 고맙고 든든했습니다. 그런데 마음 속 한가운데가 뻥 뚫린 듯 상실감이 일었습니다. 그것은 14년 전 돌아가신 아버지에 대한 그리움이었습니다. 아버지가 보고 싶습니다.

평범과 성실의 가치

저는 특별할 것이라곤 하나 없이 지극히 평범하게 성장했습니다. 저는 골약초등학교 1학년 때 광양서초등학교로 전학했습니다. 저학년 때는 공부를 썩 잘하지 못했지만 성실하게 학교생활을 했고, 4학년 때에는 반에서 3~4등 할 정도로 성적이 올랐습니다. 그때 담임 선생님이 권해서 태권도를 시작했습니다. 아침 6시에 경찰서의 체육관에서 운동하던 기억이 지금도 선명합니다.

초등학교 4학년 때 시작했던 태권도를 중학교 2학년 때까지 계속했습니다. 그 때문에 광양읍에서 태권도를 할 때 만났던 선배들과는 지금도 인사하면서 교류하는 사이가 되었습니다.

저는 책 읽기를 좋아했습니다. 당시 어머니께서는 방문 판매를 하는 세일즈맨에게 이웃들이 모이는 장소를 제공하고 그 대가로 가전제품이나 도서 전집류를 받곤 하셨습니다. 그래서인지 우리 집에는 수십 권짜리 백과사전이 있었는데 그것을 수십 번이나 반복해서 읽곤 했습니다.

왕성한 독서열은 중·고등학교 때까지 계속되었습니다. 제가 중학교 때 광양읍에는 서점이 한 곳 있었습니다. 고등학교 때는 두 곳으로 늘었습니다. 저는 이 서점의 그리 달갑지 않은 단골이었습니다. 범우사에서 나온 얇은 문고본 시리즈가 있었는데, 서점에서 그 책 중 한 권을 사서는 돌아가서 두어 시간 만에 읽고 다시 가서 바꾸어달라는 식의 얌체 구매를 많이 했습니다. 지금 생각해보면 서점 주인은 제 속을 빤히 알고 있었을 텐데도 그때마다 군말 한마디 없이 흔쾌히 바꾸어주곤 했습니다.

교우 관계도 비교적 좋은 편이었습니다. 광양서초등학교 시절부터 친구 집에 모여 놀면서 밤늦도록 이야기를 나누고 그 집에서 자고 돌아오는 것을 즐겼습니다. 중학교 때는 인근 면에서 온 친구들도 있었는데 제법 먼 곳의 친구 집에 놀러 가서 하룻밤 자고 돌아오기도 했습니다. 어머니는 이런 일에 개의치 않으셨습니다.

공부를 잘하는 편이었지만 최상위권은 아니었습니다. 열심히 노력했지만 1등이 된 적이 없습니다. 그래서인지 마음속에 2등 콤플렉스 같은 게 자라기도 했습니다.

제가 광양중학교 3학년이던 1979년에 박정희 대통령이 김재규의 총탄에 쓰러졌습니다. 그 사건은 나라 전체에 큰 충격이었습니다. 그해 10월 27일 아침, 전화로 그 소식을 전해 들은 아버지가 수화기를 들고 고함치듯 절규하던 모습이 기억에 남아 있습니다.

그날 저는 김성진 당시 문공부 장관이 '대통령 유고'라고 이야기하는 장면을 보았습니다. '유고(有故)'라는 단어는 낯설었습니다. 종일 그 단어가 머릿속을 둥둥 떠다녔습니다.

대통령 시해 사건은 저에게도 큰 슬픔이었습니다. 그때 제가 생각하기에 대통령은 선거를 통해 선출되고 임기가 끝나면 물러가는 사람이 아니라 평생 한 사람뿐인 그런 신적인 존재였습니다. 광양군민회관에 분향소가 설치되었고 학교 단위로 분향을 했습니다. 저는 그 이후에도 개인적으로 따로 그곳을 찾아 눈물을 뚝뚝 흘렸습니다.

그해 겨울 고등학교 입시를 보았습니다. 당시는 서울을 시작으로 광주와 부산, 전주와 진주 순으로 일반계 고등학교의 평준화가 진행되었습니다. 전남은 아직 평준화 전이었는데 인근의 순천고등학교가 공부 좀 한다는 학생들의 목표였습니다. 저도 시험을 치르고 순천고등학교에 입학했습니다.

인근 지역에서 공부를 잘하는 학생들이 모인 학교라 처음에는 성적이 그리 좋지 못했습니다. 하지만 열심히 공부해서 차근차근 성적을 올렸습니다. 그러던 중 제 의지를 꺾는 일이 일어났습니다.

한번은 성적표를 보고 생각보다 한참 낮은 성적에 놀랐습니다. 기술 과목이 44점이었습니다. 제 판단에 그럴 리가 없었습니다. 저는 기술 선생님을 찾아가서 확인을 부탁 드렸는데 다짜고짜 화를 내셨습니다. 아마 성적 문제로 귀찮게 하는 학생이 더러 있었나 봅니다. 기술 선생님은 만약에 잘못이 있으면 처벌을 받겠냐고 하셨습니다. 저는 그러겠노라고 대답했고 확인해보니 50문제 중 정답이 44개여서 88점인데, 정답의 개수를 점수로 기재한 것이었습니다. 기술 선생님은 대수롭지 않은 듯 학기말 성적에 제대로 반영할 터이니 걱정 말고 그냥 가라고 퉁명스럽게 말했습니다.

성적표 착오와 화를 낸 것에 대해 전혀 미안해하지 않았습니다. 아무리 사제 간이라도 인간적인 예의가 아니라는 생각이 들었습니다. 그리고 점수라는 게 허망하다는 느낌이 들었습니다. 학교 시험에 얽매이기보다는 나 스스로 계획에 따라 공부하는 게 더 낫겠다고 생각했습니다. 그래서 그 이후 학교 시험 준비를 하지 않았습니다. 그 당시는 매주 월요일 과목별로 시험을 치르는 주초 고사였는데 저는 주말에 그 과목을 별도로 공부하지 않았습니다. 결과적으로 내신 성적이 나빠졌습니다. 전체 15등급 중 6등급이었습니다. 대학에 입학할 때 면접을 보던 교수님들이 이상하게 생각할 정도였습니다. 하지만 공부에서 손을 놓은 것은 아니었습니다. 제가 세운 계획에 따라 국어, 영어, 수학 중심으로 차분히 공부를 계속했습니다.

고등학교 1학년이던 1980년, 5·18 광주민주화운동이 일어났습니다. 하지만 그때 저는 이웃 지역에서 무슨 일이 일어나고 있는지 짐작조차 하지 못했습니다. 고등학교 입학 후 경쟁 분위기에 짓눌려 있다가 갑작스러운 휴교 조치에 따라 마음 편하게 놀았던 기억이 납니다.

저는 광양읍에서 순천까지 통학을 했습니다. 일찍 일어나 새벽밥을 먹고 광양읍에서 6시 18분 버스를 타고 7시 10분쯤 순천에 내려서 7시 30분이면 학교에 도착했습니다. 점심과 저녁 도시락 2개를 먹어가며 밤늦도록 학교에서 공부한 후 하교해서는 10시 30분 버스를 타고 광양으로 갔습니다. 집에 도착하면 11시가 훌쩍 넘고, 어머니가 차려주시는 식사로 출출한 속을 채우고 이것저것 챙기면 새벽 1시가 넘은 시간이었습니다.

버스 통학을 하면 재미있는 일이 많습니다. 5일장이 크게 서던 시절이었는데 역을 따라 하동, 광양군 진산면, 광양군 옥곡면, 광양읍, 그다음 순천 순서로 장이 섰습니다. 다른 쪽으로는 광양, 순천, 벌교 등의 순서로 5일장이 이동했습니다. 순천장이 서는 날이면 광양과 순천을 오가는 분들로 버스가 북적거렸습니다. 비포장도로를 덜컥거리며 달리는 버스 안에는 생선을 가득 담은 대야에서 나는 비릿한 냄새로 가득하곤 했습니다. 어떤 때는 중간에 버스가 퍼져서 순천까지 먼 길을 꼬박 걸어가기도 했습니다.

짝사랑에 빠져 사춘기적 소녀 감성에 젖기도 했습니다. 당시 제가 읽었던 문학 작품들의 문장들, 그리고 동네 야산에 아무렇게나 핀 들꽃들의 색깔 하나하나가 가슴에 박히곤 했습니다.

그러면서 미래에 대해 진지하게 생각하곤 했습니다. 고등학교 3학년 초 담임 선생님이 개인별로 진학 상담을 했습니다. 저는 희망하는 진로와 진학 계획을 묻는 담임 선생님께 이렇게 대답했습니다. "저는 글을 써보고 싶습니다. 구체적으로 작가와 기자, 국어교사가 제 머릿속의 비슷한 무게의 희망입니다. 이를 위해 국문학과, 신문방송학과, 국어교육학과 진학을 저울질하고 있습니다. 이제 곧 한쪽으로 결심을 굳히려고 합니다." 담임 선생님께서는 입가에 미소를 띠면서 "그놈 참 입이 야물구나"라고 말하셨습니다. 아마 저처럼 구체적이고 논리적으로 미래에 대해 이야기한 학생이 없었던 모양입니다.

내신 성적이 그리 좋지 않은 제가 모의고사를 잘 보자 친구들은 깜짝 놀랐습니다. 하지만 담임 선생님은 "입은 야문 놈이 고작 이게 뭐냐. 나는 네가 훨씬 더 잘할 줄 알았는데"라며 아쉬워하고 나무라셨습니다.

저는 내신 성적 관리에 손을 놓긴 했지만, 목표와 계획에 따라 열심히 공부하면 시간이 흐를수록 그것이 누적되어 성과를 가져온다는 것을 깨달았습니다. 바른 목표를 세우고 성실히 노력하면 그에 맞는 결과가 나온다는 걸 상식으로 여기게 되었습니다. 평범과 성실의 가치를 지니게 된 것입니다.

하지만 입시 중심 교육의 폐해에 대해서도 눈뜨게 되었습니다. 그리고 이 생각은 지금까지 이어왔으며 더 커졌습니다. 저는 늘 제 두 아이에게 '공부보다 인성'이라고 가르쳐왔습니다. 학생들이 입시의 무거운 짐을 지고 무한 경쟁 속에서 자라며 진정으로 배워야 할 것은 놓치고 마는 안타까운 현실은 이제 개선되어야 할 것입니다. 이에 대해 정치가 무엇을 할지 구체적으로 고민할 것이 많습니다.

저는 학창 시절을 보내며 성실의 가치를 익혔지만 더 세월이 지나면서 우리 사회에서 그 상식이 통하지 않을 때가 많음을 곳곳에서 보았습니다. 희망을 품고 열심히 노력하는 사람의 작은 기대마저 이루어지지 않는 안타까움이 대수롭지 않게 벌어지고 있습니다. 저는 평범한 속에 노력으로 결과를 낼 수 있는 비교적 좋은 환경에 처했던 것이었습니다. 제 성장 경험이 행운이 되는 세상이 아니라 당연한 상식이며 가치로 굳어지는 세상이 되기를 간절히 바랍니다.

세상의 진면목에 눈뜨다

　1982년 초겨울, 저는 대학입학학력고사를 보았습니다. 그날은 인생에서 중요한 날이기도 하지만 오랫동안 기억에 남을 인상적인 일들이 생겼습니다.

　총 4교시로 나누어 시험을 치렀는데 1~2교시가 끝나면 점심시간이었습니다. 그때는 고사장 밖으로 나가서 점심을 먹는 걸 허용했었습니다. 저도 밖으로 나갔는데, 아버지께서 기동마을의 친지들과 함께 일찌감치 식당에 와 계셨습니다. 제가 식당에 도착했을 때는 이미 취기가 오른 분이 많았습니다.

　집안 장형은 저를 보고는 반갑게 인사하고 제 손을 꼭 잡았습니다. "너를 믿는다"고 하셨습니다. 그분의 기대는 당연한 것이었습니다. 제 고향 기동마을은 작고 가난한 마을이라 그때까지

대학에 진학한 사람이 손꼽을 정도였습니다. 집안에 면서기 하나 없다며 한탄하시는 어르신도 계셨습니다. 집안 장형은 저에게 "꼭 수석해라"고 하셨습니다. 저는 그저 격려이며 덕담인 줄 알고 "열심히 하겠습니다"고 대답했습니다. 하지만 장형의 당부가 단순한 덕담이 아닌 것을 그 후에 알았습니다. 학력고사 점수를 발표하기 전에 점수 분포와 수석 합격자를 먼저 발표했는데, 장형은 제가 수석합격자가 아닌 것을 알고는 술에 잔뜩 취해서 저를 찾아왔습니다. 그러고는 "네가 나를 이렇게 실망시켜서 되겠느냐"고 한숨을 내쉬며 말씀하셨습니다. 그분은 진심으로 제가 수석하기를 바랐던 겁니다.

점심 식사를 마치고 3~4교시 시험을 치렀습니다. 그런데 제 대각선 옆자리에 앉아 있던 낯선 수험생이 제게 시험지를 보여 달라고 계속 눈짓을 보냈습니다. 제가 비협조적이자 아예 제 시험지를 가로챘습니다. 시험 감독관이 돌면서 수험표를 확인하던 중이었는데 등줄기로 식은땀이 흘렀습니다. 감독관이 제 앞으로 오기 직전에 시험지가 되돌아왔습니다. 3교시 시험이 끝나고 물어보니 재수생이었습니다. 이런저런 사정으로 제가 자신의 시험을 도와주어야 한다고 했습니다. 4교시 시험 때도 끝임없이 부정행위를 시도했습니다. 아찔한 순간들이었습니다. 모든 시험이 끝나자 그는 사과는커녕 제가 적극적으로 도와주지 않았다며 화를 내었습니다. '적반하장도 분수가 있지. 이런 사람이 부정하게 대학에 갈 수도 있겠구나……' 하는 데 생각이 미치자 어처구니가 없고 가치관에 혼란이 들 정도였습니다. 부정과 비상식을 대수롭지 않게 여기는 사람들이 우리 사회에 존재한다는 것은 어린 저에게 충격적으로 다가왔습니다.

그렇게 학력고사를 치르고 시간이 조금 지나 점수를 받았습니다. 저는 기자가 되는 것으로 진로를 생각했기에 신문방송학과에 지원하려 했습니다. 그런데 고1 때 담임 선생님께서 기자가 되기 위해 신문방송학과에 가야 하는 건 아니라고 조언하셨습니다. 정치학이나 행정학 등 전문적인 분야의 지식을 쌓고 그 바탕 위에서 기자를 하는 게 더 낫지 않느냐고 하셨습니다. 특히 선배들을 관찰해본 결과 행정학을 전공한 사람들이 진로의 폭이 넓은 장점이 있다며 행정학과 진학을 권하셨습니다. 그렇게 저는 행정학과로 방향을 잡고 원서를 냈습니다.

1984년 1월 어느 날 아침이었습니다. 집으로 한 통의 전화가 걸려왔습니다. 아버지께서 골약면 면장으로 임명되었다는 소식이었습니다. 당시 면장은 별정직 공무원으로서 임명권자의 뜻에 따라 임명하던 구조였습니다. 아버지는 평생의 꿈을 이룬 기쁨으로 어쩔 줄 몰라 하셨습니다. 그로부터 몇 분 후 서울에 사시던 외삼촌께서 학교 게시판에 붙은 합격자 공고를 보고 전화를 하셨습니다. "동용이 합격했네."

아버지가 당신의 꿈을 이루는 바로 그 순간, 아들이 합격 소식을 동시에 접했습니다. 그리고 당신과 아들의 운명이 엮여 있다는 생각을 하셨는지도 모르겠습니다. 그 이후 아버지는 나를 당신의 운명의 동지처럼 여기는 말씀을 자주 하셨습니다.

얼마 후 아버지는 골약면으로, 저는 서울로 떠났습니다. 서울로 떠나기 전 저는 읍내 서점에서 두 권의 책을 샀습니다. 앨빈 토플러의 『제3의 물결』과 칼 세이건의 『코스모스』였습니다. 왜 그 책을 골랐는지 이유는 기억나지 않습니다. 그저 대학생이라면 이 정도는 읽어야 하지 않겠냐고 생각했던 것 같습니다. 두 권의 책을 골라 든 저는 제가 어떤 변화를 겪을지 짐작조차 하지 못했습니다.

제가 머릿속에 그려오던 것과는 다른 모습의 대학생활이 시작되었습니다. 신앙과 관련된 혼란이 가장 먼저였습니다. 저는 중학교 때부터 교회에 다녔습니다. 그냥 다니기만 한 것이 아니라 신앙심이 꽤 깊었습니다. 수학여행 때 절에 가면 마음이 불편할 정도로 보수적 신학의 교리를 굳건한 신념으로 지키고 있었습니다.

그런데 대학에 다니면서 혼란을 겪기 시작했습니다. 연세대학교는 기독교 대학이지만 신학 풍토가 진보적이면서도 다양한 흐름이 존재했습니다. 저는 기독교 개론을 필수 과목으로 배웠는데 목사인 교수님이 뜻밖의 질문을 불쑥 던지곤 했습니다. 그것은 제가 기존에 알던 폐쇄적인 구원관과는 많이 달랐습니다. 심각한 고민이 시작되었습니다. 단순히 제가 선호하는 종교를 고르는 게 아니라 제 삶의 태도와 사상적 정체성을 결정하는 중요한 문제였습니다. 또 학생운동과도 얽힌 고민이었습니다.

1983년에는 진보적 기독교에서 사회운동을 주도했습니다. 「우리 승리하리라」는 찬송가가 시위 때 운동가요로 불리던 때입니다. 고민이 깊어지면서 신학 관련 책도 많이 읽었습니다. 그러면서 신앙에 대한 안목과 지평이 넓어지는 것을 느꼈습니다. 하지만 청소년기의 신앙심은 제 사고의 바탕을 이루었습니다. 학생운동을 하기 시작하면서부터 철학과 사회과학을 공부했는데 저는 유물론을 온전히 받아들이지 않았습니다.

그리고 저는 보통 사람들의 지독히 가난하고 힘겨운 삶을 피부로 느끼게 되었습니다. 입학 후 저는 서강대학교 근처에서 하숙을 했고 한 학기 뒤에는 당숙 댁으로 옮겨서 지냈습니다. 당숙께서는 사당동 달동네에 사셨습니다. 사당동 큰길에서 언덕 쪽으로 죽 올라가면 동작초등학교가 있습니다. 거기서 조금 더 올라가면 아스팔트로 포장된 길이 끝나고 흙길인데 사당동 산 34번지가 펼쳐집니다.

이효리가 동작초등학교 출신인데 당숙의 아들, 그러니까 제 6촌동생인 서동배와 동기동창입니다. 이효리가 옛 친구를 만나는 TV 프로그램에 나왔는데, 그때 이효리보다 자기 여자 친구가 훨씬 더 예쁘다고 말해서 실시간 인터넷 검색어에 오르기도 했습니다. 안타깝게도 서동배는 젊은 나이로 유명을 달리했습니다.

당숙 댁에서는 무허가 건물로 증축이 어려운 상황인데도 저를 위해 방을 하나 더 만들어주었습니다.

저는 민정당 중앙연수원 점거로 구속될 때까지 그 집에서 지냈습니다. 포장이 안 된 길은 늘 질척거렸고 겨울이면 연탄재가 나뒹굴었습니다. 동네에는 싸움소리가 끊이지 않았고 하수도 시설이 좋지 않아 악취가 풍겼습니다. 그리고 늘 흙투성이의 아이들이 위험하게 뛰어놀았습니다. 후배들이 제 집을 정리하기 위해 이곳에 왔을 때는 '웬 아이들이 이렇게 많지' 하고 놀랐다고 합니다.

그곳에선 비가 올 때면 빗줄기가 얇은 슬레이트 지붕을 뚫고 나올 듯 우두둑하며 거센 소리를 냈습니다. 저는 어릴 때부터 빗소리를 좋아했습니다. 광양역 앞에 대한통운이 있었는데, 슬레이트 지붕 아래에 시멘트를 쌓아두곤 했습니다. 비를 피해 그 지붕 밑에 들어간 적이 있는데 비로부터 보호받는다는 안정감을 느꼈었습니다. 그 느낌을 사당동 당숙 댁에서 다시 받았습니다.

저는 당숙 댁의 새로 지은 방에서 지내며 서울 서민의 모습을 날것 그대로 보았습니다. 그 동네, 그 집이 바로 가난한 한국인의 삶 그 자체였습니다. 후에 아버지는 "네가 이 동네 사람들을 보면서 가난과 사회에 눈떴구나" 하시며 이곳으로 방을 옮겨준 일을 후회하셨습니다.

저는 광양을 떠나면서 가지고 온 두 권의 책을 더는 읽지 않았습니다. 그 대신 다양한 인문학 도서, 광주민주화운동 등 우리나라의 그늘진 부분을 다룬 책, 아랍과 이스라엘의 분쟁 등 세계사의 흐름에 관한 책들을 읽으며 미처 몰랐지만 이미 존재해오던 세상의 진면목에 눈뜨기 시작했습니다.

고민 많은 운동권 학생

한국 사회의 일그러진 실상을 적나라하게 마주하면서 이것을 바로잡고 더 나은 세상을 만들기 위해 운동이 꼭 필요하다고 생각했지만 저는 그 길로 나가는 것을 주저했습니다. 집회에 나가면서도 저는 그 끝에 무엇이 있을지 늘 고민했습니다. 명확히 알 수는 없지만 이 길을 계속 간다면 내가 바라던 것을 모두 놓아야 할 것이라는 느낌이 들었습니다. 그리고 아버지 생각이 났습니다. 그 큰 기대를 외면할 수는 없었습니다.

그리고 나를 지도하던 선배는 신입생이 자연스럽게 느낄 혼란과 고뇌를 이해하지 못했습니다. 그는 유연성이 부족하고 인간애가 결여된 듯 느껴졌습니다. 늘 원칙과 희생을 부르짖었습니다. 세월이 한참 흐른 후 그 선배가 극우 정당에서 정치를 한 것을 보면 참 모순된 일이기도 합니다.

하지만 그 선배를 제외한 다른 운동권 선배들의 모습은 그렇지 않았습니다. 저는 자신보다 남을 더 생각하며 특히 약한 사람들을 더 아끼는 인간애가 운동의 바탕을 이룬다고 생각합니다. 그리고 자기희생과 불이익도 감수해야 합니다. 이런 선택을 한 사람들이었기에 대다수 운동권 선배들은 따뜻하고 선량한 사람들이었습니다.

어쨌든 고민에 고민을 거듭한 끝에 1학년 1학기가 끝날 때쯤 운동을 하지 않겠노라고 결심하고 그것을 선배들에게 말했습니다. 하지만 그 후 고민이 더 깊어졌습니다. 여름방학 동안 혼자서 역사와, 철학 그리고 사회과학 책을 숱하게 읽었습니다.

2학기가 시작하자마자 저는 뜻을 바꾸어 다시 운동권 선배를 찾아갔습니다. 그리고 겨울방학 때입니다. 집중적인 사회과학 학습을 위해 제 동기 집에서 합숙을 하기로 했습니다. 그 친구는 막내였는데, 나이 차이가 큰 그의 누님이 합숙 기간 동안 지낼 곳을 내주셨습니다. 그 집은 난방이 잘되지 않아 바닥이 몹시 차가웠는데, 막내 동생의 선배와 친구들이 온다고 하자 누님은 부랴부랴 구들장 공사를 했습니다. 우리가 도착했을 때는 집수리가 한창이었습니다. 당초 계획했던 일정에 차질이 생길 수밖에 없었습니다. 시간이 오후 다섯 시를 넘어갔습니다. 그러자 누님이 식사를 챙겨주셨습니다.

우리는 직접 취사를 하면서 합숙할 계획이었던 터라 저희가 알아서 할 터이니 그러지 마시라고 말렸습니다. 하지만 누님은 "기왕 공사 때문에 늦었는데 오늘만 이렇게 하고 내일부터는 계획대로 하라"며 한사코 밥상을 차려주셨습니다.

그때부터 이 밥을 먹느냐, 먹지 않느냐를 놓고 논쟁이 벌어졌습니다. 그 경직된 선배가 원칙을 꺼내면서 밥상을 물리자고 했기 때문입니다. 세 시간을 격론을 벌이다 결국에는 차갑게 식혀 되돌려주었습니다. 저는 이런 일이 벌어지는 걸 도저히 이해할 수 없었습니다. 운동과 원칙을 떠나 이건 인간의 도리가 아니라고 생각했습니다. 인간다움, 민주화, 올바름의 실현과는 아무 상관이 없는 일로 보였습니다. 저는 그 자리를 박차고 일어났습니다.

2학년 때도 이전과 다르지 않았습니다. 고민하며 책 읽고 집회에 참여하는 일상이 계속되었습니다. 그러면서 연극 동아리인 극예술연구회 활동을 열심히 하며 보냈습니다. 이때 흥미로운 경험이 많았습니다. 그 이후에는 만들어진지 얼마 안 된 판화 동아리에 들어갔습니다. 판화는 밑그림을 그려서 붙이고 그걸 파낸 후에 종이를 덮고 잉크를 묻혀 음료수병으로 문질러 찍는 작업입니다. 그런데 저는 미술적으로는 재능이 없었던지 늘

미는 작업만을 반복했습니다.

판화 동아리 구성원들은 그 당시 대학생들과 마찬가지의 고민을 안고 있었습니다. 학생운동을 하지 않으려니 죄스럽고 뛰어들자니 두려운 심정이었던 겁니다. 물론 운동에 열성적인 사람도 있었습니다. 지금 시흥시장으로 있는 김윤식이 그랬습니다.

운동에 투신했든지 고민만 하고 있었든지 제 주위에는 거의 모두가 착한 사람이었습니다. 사람과 역사에 대해 가슴 아픈 심정을 안고 산다는 것 자체가 착함입니다. 독하지도, 이기적이지도 않으며 다른 사람과 세상을 염려하는 착한 마음의 발로이기 때문입니다.

저는 연극이나 판화 동아리에 참여하면서도 운동에 대한 고민을 계속 이어갔습니다. 끊임없이 고민하고 제 나름의 해결책을 찾기 위해 책을 선정해 읽었습니다. 3학년을 마치고 책장을 정리했는데, 전공인 행정학 책은 고작 다섯 권이고 12권짜리 『사상계』 영인본이 유일한 전집이었습니다. 그리고 제 고민의 자취를 따라 고르고 골라서 읽은 단행본이 500권이나 되었습니다.

길고 깊은 고민 끝에 저는 운동에 투신하기로 마음을 먹었습니다. 연세대학교 사회과학대학 학회에 있던 선배들을 찾아 제 결심을 밝히고 본격적인 운동에 뛰어들었습니다. 운동 조직에 속해서 후배들을 챙기며 사회과학 공부를 함께했습니다.

그러던 어느 날 함께 운동하던 친구가 저에게 차를 한잔하자고 했습니다. 음악다방에 갔는데 그 친구는 차를 주문하며 「가버린 친구에게 바침」이라는 노래를 틀어달라고 했습니다. 저는 비장한 분위기에 무엇인가 목숨을 걸어야 할 일이 생겼다는 걸 직감했습니다.

그때 서울 가락동에 있는 민정당 중앙연수원 점거를 계획하고 있었습니다. 애초 그 점거 농성에 참여하고자 예정되었던 친구가 따로 있었는데 구류 전과가 있어 이번에 연행되면 구속 위험이 컸습니다. 위험한 곳에 후배들만 보낼 수도 없어 제가 가기로 한 것입니다.

그 당시 광양에 계시던 아버지께서는 제가 학생운동을 하고 있는 걸 아예 모르고 계셨습니다. 집에 다녀갈 때에도 전혀 내색하지 않았습니다. 그런데 우연한 일로 저의 상황을 알게 되셨습니다.

면장이시던 아버지가 추곡 수매 검사관으로 온 사람들에게 식사를 대접하던 자리였습니다. 한 젊은이가 아버지 곁으로 왔습니다. 그는 "아버님, 저 동용이 친구입니다. 군대 가려고 휴학계를 내놓고 잠깐 아르바이트를 하고 있습니다"라고 자신을 소개했습니다.

아버지가 반갑게 인사를 했는데도 그 친구는 아버지 옆에 무릎을 꿇고 앉아서 한참을 떠나지 않았습니다. 아버지가 무슨 할 말이 있느냐고 했더니 그는 난데없이 "아버님, 학생운동에 대해 어떻게 생각하십니까?"며 질문을 던졌습니다. 아버지는 생뚱맞은 질문이 당황스럽긴 했지만 이내 "나는 나쁘게 생각하지 않는다. 착한 마음과 열정을 이해한다"고 대답하셨습니다. 그때 아버지의 말씀은 진심이셨습니다. 당신은 비록 여당에 속해 있더라도 학생들의 진정성을 이해하는 열린 마음을 지니고 계셨습니다.

그러자 이 친구가 결정적인 한마디를 더 던졌습니다. "동용이가 학생운동한다면 어떠시겠습니까?" 아버지는 얼굴이 하얗게 질렸고 가슴이 철렁 내려앉는 느낌이었다고 하셨습니다. 아들 문제는 학생운동의 이해와는 완전히 궤를 달리하기 때문입니다.

아버지는 그날 제가 있던 당숙의 집으로 전화를 거셨습니다. 마침 제가 있어서 통화가 되었습니다. 아버지는 "급히 집에 다녀가라"고 하셨습니다. 상황을 몰랐던 저는 "다음 달이 시험인데, 끝나고 가겠습니다" 하고 대답했습니다. 아버지는 "급한 일이니 최대한 빨리 와라. 언제 올 테냐?"고 재촉하셨고 저는 다음 주말에 가겠다고 약속했습니다. 하지만 저는 배탈이 나는 바람에 가지 못했습니다. 결과적으로 아버지를 속인 셈입니다.

1985년 11월 7일 밤, 우리는 건국대학교에 모여 다음 날의 계획을 세웠습니다. 11월 8일 아침에 집결하여 민정당 중앙연수원을 향해 뛰었습니다. 그리고 점거 농성에 들어갔고 경찰과 대치했습니다.

얼마 지나지 않아 최루액이 뿌려졌고 시위 진압 전문 전경인 백골단이 치고 올라왔습니다. 옥상 출입문에서 대치하다가 결국 바리게이트가 뚫리고 경찰과 시위대 사이에 난투극이 벌어졌습니다.

엄청나게 맞았습니다. 그러다 맨바닥에 쓰러져 혼절했습니다. 다시 눈을 떴을 때는 혼이 반쯤 나갔습니다. 차가운 바닥에 눈은 맵고 매캐한 냄새로 숨이 막혔습니다. 이곳이 어디인지, 내가 여기에 왜 있는지 알 수가 없었습니다. 누군가에게 물어볼까 생각도 해보았습니다. 그러다 전경 버스에 실렸습니다. 옆에서 3시간 만에 뚫렸다는 이야기가 들리자 생각이 조금씩 살아났습니다. 그리고 끊임없이 경찰에서 진술할 내용을 되뇌었습니다. 친구나 선후배 이름을 이야기하지 않기 위해서였습니다.

저는 성동경찰서 유치장과 서울시경을 거쳐 구치소에 수감되었습니다. 농성에 참여했던 학생 전원이 구속되었다고 들었습니다. 검찰에서는 반성문을 써내라고 했습니다. 구치소 안에서 의논했습니다. 그 결과 82학번은 끝까지 버티고 83학번은 학교 사정에 따라 정하기로 했습니다. 서강대학교 학생들은 끝내 반성문을 쓰지 않고 재판을 받았습니다. 우리는 학교에 할 일이 많으니 반성문을 쓰기로 했습니다. 기소유예 처분이 내려졌습니다. 그 후 의정부교도소에서 지내며 반공교육을 받았습니다. 땅굴을 견학하기도 했습니다. 희한한 조치입니다. 민주화를 위한 시위와 북한이 무슨 관련이 있다고 그랬을까요? 땅굴을 보면서 '북한처럼 되지 않으려면 민주화가 더 시급하다'고 느끼게 될 수도 있는데 말입니다.

광양에 계시던 아버지는 청천벽력과도 같은 소식을 들었습니다. 운명의 파트너이며 자부심과 기대의 대상이었던 아들이 데모를 하다가 구속되었으니 심정이 오죽했겠습니까? 제가 연행되던 날 밤 아버지는 한잠도 자지 못하셨습니다. 그리고 아침 일찍 군청으로 향했습니다.

그때 면사무소의 관용차를 운전하던 기사분이 동행했는데, 아버지의 모습이 몹시 불안해 보여서 뒤따랐다고 합니다. 골약면 면장은 아버지 인생의 목표였습니다. 더욱이 골약면은 광양제철소가 들어선 후 광양군 내에서 위치가 한층 더 중요해졌습니다. 하지만 이제 이 자리를 내려놓을 때라고 판단하셨던 것 같습니다. 아버지는 다리를 휘청거리며 군수실로 들어가셨습니다.

그리고 머리를 조아리며 밤새 고민하며 쓴 사직서를 내밀었습니다. "제 자식이 불미스러운 일을 저질렀습니다." 그러자 군수는 "아이고, 이놈들이 민주화운동 한다고 꼭 그런 짓까지 해야 되나? 왜 폭력을 써"라고 하며 "아직 위에서 특별한 지시가 없으니 사직서는 그냥 가져가세요"라고 말했습니다. 일단 사표는 받아두었다 지시에 따라 조치해도 되는데 굳이 사직을 만류한 것입니다. 군수실 밖에서 기다리던 관용차 기사분이 보니 아버지는 군수실 문을 닫고 나오자마자 복도에 털썩 주저앉고 말았다고 합니다.

구치소에서 나온 후 아버지의 통제는 매우 심해졌습니다. 사사건건 부딪치며 갈등의 골이 깊어갔습니다. 그때 저는 심하게 반발했지만 자식을 아끼는 그 부성애는 자연스럽고 당연한 것이었을 겁니다. 하지만 아버지는 저를 막지는 못했습니다. 저는 학생운동을 계속했습니다.

그리고 그 이듬해에 시위에 나섰다가 또다시 구속되었습니다. 제가 두 번째 구속된 1986년은 신민당을 중심으로 개헌운동이 한창이었고 인천에서 5·3 민주화운동이 일어난 시기이기도 합니다. 하룻밤에 100명 넘는 사람이 민주화운동 관련으로 경찰서에 잡혀왔습니다.

저는 부천경찰서에서 조사를 받았는데 담당 경찰이 아니라 그 옆의 동료가 저를 무지막지하게 때렸습니다. 얼굴에 피가 많이 나서 제가 입고 있던 점퍼가 피범벅이 되기도 했습니다. 이 모습을 본 어머니가 오열하셨습니다.

제가 구치소에 있는 동안 '부천경찰서 성고문 사건'이라는 지금으로는 상상도 할 수 없는 처참하고 부끄러운 비극이 벌어졌습니다. 그때 그 일을 벌인 경찰이 문기동입니다. 나중에 TV에서 그의 얼굴을 보았는데 나를 심하게 때렸던 바로 그 사람이었습니다. 저는 집행유예를 받아 3개월 반의 수감생활을 끝내고 출소했습니다. 그리고 노동운동에 투신할 결심을 굳혀갔습니다.

연극 무대의 낭만과 치열함

저는 대학 1~2학년 시절에 인식의 지평을 넓히는 문제와 학생
운동에 투신할지에 대해 깊은 고민을 했습니다. 하지만 저의 대
학생활은 반대 측면에서 매우 낭만적이고 치열하기도 했습니다.
연극 동아리인 연세극예술연구회(일명 연희극회)에 가입해 활동
한 것입니다.

1학년 1학기 초 학회니 사회과학이니 하는 말들을 듣기 전에
저는 자발적으로 연희극회에 가입했습니다. 막연하게 연극이라
는걸 한번 해보고 싶었습니다. 연희극회는 매년 두 번 정기공연
을 하는데, 제가 입학하였던 1983년 봄 정기공연 작품은 프랑
스 극작가 장 주네의 「르 발꽁」이었습니다.

장 주네는 이오네스코, 사무엘 베케트 등과 함께 부조리 연극

의 대표적 작가였는데, 1983년 당시 장 주네의 르 발꽁은 번역조차 되어 있지 않았습니다. 연세대학교 불문학과 대학원에 다니던 연출자 오세곤 선배의 주도 하에 전 동아리 회원들이 나서서 영문으로 된 르 발꽁을 한글로 번역했습니다. 실로 험난한 과정이었습니다.

이 연극은 연희극회 정기공연 사상 가장 거대한 무대 세트로도 유명합니다. 러닝타임이 3시간 20분에 이르는 대작이라 장면이 많았고, 각 장면마다 무대의 내용과 성격이 판이하여 기존 극장의 무대를 사용하기에는 너무 좁았습니다. 어떻게 할 것인가를 고민하던 무대감독 박동우 선배가 획기적 발상의 전환을 했습니다. 무대를 객석으로 사용하고 객석에 무대를 다시 짓자는 것이었습니다. 실로 엄청난 아이디어였는데, 이런 엉뚱하기까지 한 발상을 했던 박동우 선배는 현재 중앙대학교 교수로서 대한민국 연극에서 무대미술의 독보적 존재로 활동하고 있습니다.

한글로 번역도 되어 있지 않은 대본을 번역하고, 객석에 새로운 무대를 짓는 등 통상적이지 않았던 이 연극은 성황리에 종료되었고, 그날 저는 처음으로 술로 인해 '필름이 끊기는' 경험을 했습니다. 주변 사람들에게 들으니, 저는 필름이 끊긴 상태에서 시종 「연극이 끝나고 난 후~」라는 노래를 불러댔다고 합니다.

첫 연극을 마치고 난 후 저는 연기에 별 재주가 없다는 사실을 알게 되었고 이후 조명을 맡았습니다. 보통 2시간 가까이 진행되는 연극의 전 장면을 30~40대의 조명기로 비추면서 각 장면의 특성을 빛으로 표현해내는 연극 조명은 굉장히 흥미로운 일이었습니다. 중간에 그만두고 말았지만 연극 조명은 저에게 일종의 로망 같은 것이 되었습니다. 뒤에 광양에서 장사를 할 때도 연극 공연에서 조명을 맡아 하고 싶다는 생각으로 광양이나 순천에서 활동하는 몇몇 극단을 기웃거린 적이 있을 정도입니다.

연희극회에서는 3학년 초까지 활동했습니다. 저의 변호사 사무실 개소식 때 사회를 봐주었던 연극배우 겸 탤런트 이대연과의 우정은 연희극회에서 시작되었습니다. 이대연은 1985년 초 혼자서 무전여행을 하다가 제가 있던 광양을 들르게 되었고, 마침 저의 누나 결혼식이 있었던 터라 1주일간 머물며 잔치 음식을 배터지게 먹고 가기도 했습니다.

제가 학생운동에 전념하기로 결심하고 연희극회를 떠나면서 선후배들과의 관계가 끊어졌습니다. 하지만 사법시험에 합격하고 난 후 이대연을 다시 만났고, 지금은 연희극회 동문으로서 자주 만나며 우정을 나누고 있습니다. 그리고 5년마다 한 번씩 열리는 재학생, 졸업생 합동 공연 때는 연습 때 찾아가서 위문도 합니다.

　대학 시절 연극에 참여한 것은 제 인생에서 소중한 경험과 자양분이 되었습니다. 한 편의 연극을 무대에 올리기 위해서는 많은 사람이 협력하며 땀 흘리는 힘겨운 과정이 뒷받침되어야 합니다. 이 고생은 또한 짜릿한 즐거움입니다. 이것이 삶과 예술의 정수가 아닐까 생각해봅니다. 저는 연극을 통해 사람과 인생, 그리고 예술의 새로운 차원을 경험했습니다. 그리고 그때보다 나이가 곱절도 더 된 지금까지 그 설렘이 남아 있습니다.

노동운동, 결심과 좌절

저는 두 번째 구속되었다가 출소한 후 본격적으로 노동운동에 나서기로 마음을 정했습니다. 그런 결심을 듣고 사회과학대 운동권 선배들이 저를 위해 돈을 모아주었습니다. 방을 얻어 그곳에 살면서 막 출소해서 지낼 곳이 마땅치 않은 선후배들도 보살피라고 했습니다. 저는 고양의 화전역 근처에 방을 하나 얻었습니다. 출소한 선배 두 사람이 그곳에서 같이 지냈습니다.

그러나 곧 그곳을 떠나야 했습니다. 선배 한 사람이 문건 관리를 잘못해 더는 거기에서 지낼 수 없게 되었기 때문입니다. 우리는 왕십리에 새로 거처를 마련했습니다. 화전역에서 지내던 보증금으로 급하게 구한 집이라 세 사람이 지내기에는 방이 너무 좁았습니다. 선배 둘이 그곳에 지내게 하고 저는 인천에 있는 친구 집으로 옮겼습니다. 저는 학습과 토론을 하며 준비하다가 1986년 말 가스계량기를 만드는 공장에 들어갔습니다. 그 당시 많이 그랬던 것처럼 저도 차명을 쓰고 위장취업을 했습니다.

공장에서 일을 시작하면서 대한민국 민주주의가 꽃을 피우던 격변기, 1987년이 밝았습니다. 1987년 초에는 이런 변화를 예상하지 못했습니다. 제가 1986년 4월 시위 중 구속될 때만 해도 상황이 많이 달랐습니다. 저는 시위 진압 전경을 피해 가게로 숨어들었습니다. 전경이 쫓아 들어와 가게 주인에게 누구 못 보았느냐고 물었습니다. 모른 척해도 될 주인은 굳이 알려주어 제가 잡히고 말았습니다. 그때는 대체로 그렇게 생각했습니다. 부모가 고생해서 대학 보냈는데 공부는 안 하고 데모나 일삼는 학생들이 못마땅하게 받아들여졌습니다. 학생 시위 때문에 길이 막히고 사회가 혼란하다는 불만과 적대감이 커갔던 것도 사실입니다.

그러나 박종철 열사가 고문 중 숨을 거두고부터는 시민들의 인식이 달라졌습니다. 예를 들어 시위하는 학생이 지나가면 "목마르면 들어와서 물이나 마시고 가라"고 권했습니다. 엊그제까지 시위 학생을 비난하던 바로 그 사람이 그렇게 말했습니다. 그리고 나중에는 시위 학생이 가게로 들어와 물을 마시는 걸 용인했습니다. 더 발전해서는 직접 물을 떠 가지고 나와서 시위 학생들에게 건넸습니다.

저는 이런 변화를 몸으로 느끼며 민주화 시위에 적극 참여했습니다. 그때 동인천에는 일꾼교회가 있었습니다. 저는 동료들과 함께 그 당시로서는 가장 진보적이었던 《동아일보》 기사를 오려붙이고 거기에 해설을 덧붙여 재편집한 후에 일꾼교회에서 복사하여 그것을 시민들에게 나누어주었습니다. 인천에서 서울로 가는 버스에 탄 후 구호를 외치고 유인물을 나누어주고 버스에서 내리고 다시 인천으로 돌아가는 버스에 타서 똑같이 하는 식이었습니다.

그러다 1987년 5월에 위염이 심해져 광양 집에 잠깐 내려갔습니다. 그때 순천에도 갔었는데 서울의 뜨거운 열기에 비해 순천은 너무 조용하게 느껴졌습니다. 모든 민주화운동 세력이 모여 대투쟁을 하고 있는 것과는 대조적인 양상이었습니다.

저는 견출지를 사서 구호를 적은 후 순천대 앞에 있던 고속버스터미널 화장실에서 시작하여 시내 곳곳에 붙이고 다녔습니다. 그리고 순천 운동권을 이끄는 사람이 누군지 수소문했습니다. 누군가가 YMCA의 이학영이라고 일러주었습니다. 현재 새정치민주연합 소속의 국회의원이십니다. 저는 그분의 주소를 알아내어 집으로 찾아가 만났습니다. 그러고는 다짜고짜 따지고 들었습니다. "이 시기에 맞는 책임과 역할을 다하지 않고 도대체 무엇 하고 계시냐?"고 대들었습니다. 부끄러워서 얼굴을 들지 못할 정도로 못난 행동이었습니다.

여순사건의 무거운 굴레를 벗지 못한 지역에서 한 걸음 한 걸음 조심스럽게 민주화운동의 발길을 내딛는 분께 아직 치기도 가시지 않은 젊은이가 제 요량과 다르다고 질책을 하다시피 했으니 어리석고 시건방지기 그지없는 행동입니다. 지금도 그때 일을 생각하면 절로 얼굴이 붉어집니다.

그해 6월 폭력적 진압으로 이한열 열사가 숨을 거두고, 민주화와 개헌을 요구하는 시민의 목소리가 전국을 뒤덮었습니다. 시민의 참여는 더욱 거세졌습니다. 시위를 욕하던 사람이 지지하면서 지켜보게 되고, 그러다 인원이 부족하면 시위대 쪽으로 한 발자국 들여놓고 더 나아가 아예 시위대의 일원이 되었습니다. 마침내는 시민들이 온 거리를 가득 채웠습니다.

저는 그 당시 모임에서 "운동권이 무리하게 시민들을 주도하려 하기보다는 함께 경험을 쌓으며 인식을 공유하도록 배려하는 게 더 바람직한 태도"라고 이야기한 적이 있습니다.

그렇게 6월 항쟁이 전개되었고 연이어 7~8월 노동자 대투쟁이 벌어졌습니다. 위염 치료 때문에 공장을 그만두었던 시기였습니다. 저는 학생 출신임을 밝히고 밖에서 노조 설립 실무를 지원했습니다. 하지만 뜨거운 열기 속에 투쟁이 진행되어 제가 실질적으로 한 일이 거의 없을 정도입니다.

이후에는 기계에 들어가는 고무링을 만드는 공장에 취업했습니다. 주야 맞교대를 하는 힘든 작업장이었습니다. 저녁 7시에 출근해서 8시에 작업을 시작하고 다음 날 아침 8시까지 꼬박 일하고 청소를 마친 후 교대하고 9시에 퇴근하는 고된 일과였습니다. 야참을 먹는 시간을 빼고는 잠깐의 휴식도 주어지지 않았습니다.

아침이면 식당 아줌마가 해놓은 밥을 먹곤 했는데 늘 차갑게 식어 있었습니다. 집으로 돌아오면 연탄을 피우지 않아 방바닥이 얼음장처럼 차가웠습니다. 이따금 퇴근 후 순댓국집에서 뜨거운 국물에 소주 한잔을 들이켰습니다. 그러면 빈속을 짜르르 파고드는 독한 기운에 몸이 축 늘어졌습니다. "전쟁 같은 밤일을 마치고 난 새벽 쓰린 가슴 위로 찬 소주를 붓는다. 아 이러다간 오래 못 가지"로 시작하는 박노해의 시가 절로 생각났습니다. 그렇게 살인적인 작업량에 시달리며 일하고 또 노조를 조직하는 데 힘을 쏟았습니다.

이후에는 양은 냄비를 만드는 공장으로 옮겼습니다. 그곳에서 1년 넘게 일했는데 숙련도가 높아져 월급을 꽤 많이 받게 되었습니다. 가스계량기 공장에서는 11만 원 조금 넘는 월급이었는데, 양은 냄비 공장에서는 야근이나 특근 없이도 월급이

20만 원을 넘었습니다. 그만큼 작업이 고되었습니다.

양은을 롤러로 밀어 펴서 필요한 두께로 만드는 작업이 핵심인데 저는 그것을 잡아주는 일을 했습니다. 목장갑을 두 개 끼고 그 위에 벙어리장갑을 하나 더 끼고 작업을 했는데 하루도 못 가서 그 장갑이 너덜너덜해졌습니다. 양은을 열로 녹이기 때문에 여름이면 실내 온도가 50도가 넘었습니다. 너무 더워서 수돗물에 머리를 적신 후에 일하면 10분 쯤 지나 물기가 하나도 남아 있지 않을 정도였습니다. 저는 점점 숙련공이 되었고 일당도 점점 올랐습니다. 노조를 육성하기 위해서도 열심히 노력했습니다. 하지만 이 일은 회사에 발각되어 실패로 끝나고 말았습니다.

이후 저와 함께 노동운동을 한 동료 한 사람이 저를 괴롭게 했습니다. 더는 견디기 힘들다는 생각이 들 정도였습니다. 그는 마음이 따뜻하고 착한 대다수 운동가들과는 마음의 결이 달랐습니다. 신뢰와 애정 대신 운동의 원칙을 내세우며 과격한 주장을 하는 데 초점을 맞추었습니다. 서로 격려하며 힘을 주어도 부족할 터인데 사소한 일 하나하나를 따지고 비판하는 데 골몰했습니다.

당시 저와 함께 노동운동을 했던 이 중에는 이화여대를 졸업하고 노동운동에 투신한 한 여성이 있었는데 후일 그분과 길에서 우연히 마주쳤습니다. 저는 알아보지 못했는데 그분은 한눈에 저를 알아보았습니다. 가명을 썼던 터라 이름은 모르고 "인천~", "인천 살았잖아요?"라고만 했습니다. 제가 갸우뚱하자 "연대 83학번 아니세요?" 그 순간 얼굴이 떠올랐습니다. 제가 노동운동을 그만두고 얼마 되지 않아 그분도 곧 운동을 접었다고 했습니다. 바로 문제의 그 노동운동가 때문에 지치고 힘든 게 직접적인 이유였다고 회상했습니다. 생각해보면 그는 자신이 열심히 노동운동을 한다고 하면서도 결과적으로 헌신적인 사람들을 쫓아낸 셈입니다.

하지만 제가 저를 괴롭게 하던 그 사람 때문에 노동운동을 그만둔 것은 아닙니다. 그 이유는 전적으로 제게 있습니다. 저는 지쳤고 힘을 잃었습니다. 건강도 악화되었습니다. 더 이어갈 동력이 소진된 상태였습니다.

잡혀가지 않으려고 항상 조심하고 움츠리는 일도 힘겨웠습니다. 그 시절 운동하던 사람들이 다들 그렇듯 저는 정류장에서 버스를 기다리다가 제가 탈 버스가 와도 한참을 그대로 서서 안 탈 것처럼 하다가 출발 직전에서야 급히 버스 문을 두드려 탔습니다. 내릴 때도 안 내릴 것처럼 하다가 떠날 때쯤 "잠깐만요" 하면서 급하게 내렸습니다. 혹시 있을 미행을 피하기 위해서입니다. 길을 걸을 때도 항상 차 진행 방향으로만 갔습니다. 차 반대

방향으로 가면 차에 탄 사람이 저를 알아볼까 염려해서 그렇게 했습니다. 그리고 혹시 연행되어 고문을 당하면 동료들에게 피해가 가지 않게끔 무엇을 어떻게 말할지를 늘 연습하며 되뇌었습니다. 이런 삶이 너무 고달팠습니다.

솔직히 고백하건대 제가 지쳐서 낙오한 것이라 표현하는 게 옳습니다. 저는 운동을 오랫동안 한 사람을 존경합니다. 특정 시기에 잠깐 운동을 하는 건 그리 어렵지 않습니다. 많이들 그렇게 합니다. 하지만 힘겨움을 인내하며 오래 운동하는 데에는 큰 내공이 필요합니다. 그래서 그런 분은 위대한 사람이라고 믿습니다.

하지만 노동운동 현장을 떠나면서 몸과 마음을 추스르고 재충전한 후에 다시 돌아오리라 결심했습니다. 그 자리가 어떤 곳이든 반드시 다시 시작하겠다고 말입니다. 그리고 그 생각만은 단 한 번도 접지 않았습니다.

광양의 청춘

저는 고향 광양으로 내려왔습니다. 조직 내에 힘들게 하는 사람도 있었고 1989년 여동생이 결혼할 무렵 아버지께서 제가 운동을 그만두지 않으면 스스로 목숨을 끊겠다며 협박한 일도 생겼습니다. 하지만 이것들이 근본적인 이유는 아닙니다. 제가 그렇게 선택했습니다.

제가 광양으로 떠난 후 서울에 있는 친구들이 연락을 해와 운동을 계속하자고 권유했습니다. 저는 반드시 운동을 다시 시작하겠지만 지금은 재충전이 필요하니 시간을 달라고 했습니다.

저는 할 일을 찾다가 사업을 하기로 정했습니다. 그리고 동서식품 대리점을 차렸습니다. 당시 다방이 한창 성업 중이었는데 그곳에 인스턴트 커피와 원두커피 등 재료를 공급하는 사업이었습니다.

다방에서 일하는 아가씨들은 저를 '재료 삼촌'이라고 불렀습니다. 그녀들은 종일 손님들에게 시달리는 '감정 노동자'요 천대받는 '을'이었습니다. 저는 그녀들에게 무시를 당했으니 '을의 을'이 된 셈입니다. 어느 날 다방에 커피를 납품하러 갔다가 잘 알던 어르신 한 사람을 만났습니다. 그분이 "연세대학교 졸업한 면장 아들 동용이 아니냐"고 반갑게 인사하자 다방의 아가씨들이 "말도 안 되는 소리"라며 믿지 않았습니다. 하지만 저는 그런 무시를 전혀 개의치 않았습니다. 열심히 일하며 돈을 버는 게 즐거웠습니다.

동서식품 대리점 사업은 그런대로 벌이가 괜찮았지만 대리점 간에 영업권을 둔 다툼이 끊이지 않았습니다. 고향 마을에서는 한 다리 건너면 모두 아는 사람입니다. 선배의 선배 등으로 인간관계가 얽히자 저는 마음이 편치 않았습니다. 오래 할 일이 아니라는 생각이 들었습니다. 저는 함께 일하던 친구에게 대리점을 넘기고 새로운 일을 찾았습니다.

그리고 시대에 맞는 새 사업을 시작했습니다. 순천에 '정보와 나눔'이라는 이름의 회사를 열고 컴퓨터 시스템 판매와 소프트웨어 개발 사업을 했습니다. 성과가 좋지 않았지만 희망을 품고 열심히 일했습니다. 그러다가 도약의 계기라고 여겨지는 '기회'를 찾았습니다. 한 백화점에서 POS 시스템을 구축할 계획이라는 정보를 듣고 그곳에 시스템을 납품하고자 뛰어들었습니다. 결과적으로 보면 우리 회사 규모에는 어울리지 않는 일이었습니다. 일은 무산되었고 이때 버거운 투자는 결국 회사가 문을 닫는 발단이 되었습니다.

이 무렵 저는 지쳤던 마음을 추스르고 지역 운동에 관심을 가지기 시작했습니다. 순천의 '새벽을 여는 노동 문제 연구소'에 참여했는데 그 당시는 새정치민주연합의 순천시장 후보였던 허석 선배가 이끌고 있었습니다. 그곳에서 지역 노동운동을 하는 분들과 교류하며 노동 상담을 했습니다.

그리고 광양에서는 치과의사이며 후에 광양 환경운동연합 의장과 광양시의회 의원을 역임한 이서기 선배, 그리고 두 분의 한의사 등 몇몇 분과 함께 '수요 모임'을 만들었습니다. 매주 수요일에 모여 지역의 현안과 포괄적인 문제에 관해 공부하고 의논하는 자리였습니다. 때로는 지역 전문가와 야당 정치인 등을 모셔서 깊은 이야기를 듣기도 했습니다.

수요 모임은 광양 시민운동의 한 방향을 이루었습니다. 과거 광양에서는 야당에 참여하는 것 자체로 하나의 저항운동이 되던 때가 있었습니다. 그리고 1989~1990년에 전교조 해직 교사를 중심으로 또 다른 시민운동의 흐름이 생겼습니다. 이에 덧붙여 수요 모임이 광양 시민운동의 한 경향을 형성하는 계기가 되었습니다.

수요 모임은 광양 내 골프장 건설 문제 등에 대해 토론했고 이후 광양제철소 인근에 지정폐기물처리장 조성이 추진되었을 때 적극적인 반대 운동을 펼쳤습니다. 우리는 "우리 지역에는 안 된다"는 무조건적인 반대가 아니라 합리적인 근거를 제시했습니다. 광양은 전라남도의 동쪽 끝에 치우쳐 있습니다. 이에 따라 폐기물을 실은 차량의 이동거리가 길고 운송 과정에서 문제가 발생할 소지가 큽니다. 그리고 폐기물처리장에서 침출수가 발생하면 여름철 강우량이 많은 섬진강 일대의 특성상 강과 바다의 수질 오염 우려가 큽니다. 이런 논리에 따라 반대 의견을 제시했습니다. 그리고 개신교회, 천주교회, 지역 인사 등이 우리와 뜻을 함께했습니다.

이 과정에서 격렬한 논쟁이 벌어졌습니다. 광양시청 대회의실에서 환경부와 반대 운동을 대변하는 전문가가 열띤 토론을 펼쳤습니다. 지역 현안에 대한 시민사회의 의견이 치밀하고 논리적으로 펼쳐진 적은 적어도 그때까지는 없었습니다. 수요 모임 구성원들은 날카로운 질문을 던지며 이에 가세했습니다. 하지만 환경부 공무원들은 진정으로 토론할 의사가 없어 보였습니다. 그저 통과의례로서의 한 행사로 치부했습니다.

저는 그때 정책을 추진하는 공무원의 태도에 대해 깊이 생각하게 되었습니다. 그들은 '지역 주민들은 혐오시설이 들어오는 걸 무조건 반대한다. 그런데 돈을 내놓으면 해결된다'는 관점에서 한 치도 벗어나지 못했습니다. 토론이 끝난 후에는 반대 측의 의견을 점검하기보다는 '일본에 시설이 잘된 곳을 견학시켜주겠다. 지역 발전 사업에 돈을 내놓겠다'는 등의 유인책을 내놓았습니다.

이후 삼척과 경주의 방사선폐기물처리장 건설을 둘러싼 문제 해결 과정은 인상적이었습니다. 제가 광양에서 경험한 것과는 달리 대안을 내놓고 설득하려는 공무원들의 전향적 자세가 보였기 때문입니다.

저는 장기적으로 원자력발전소를 줄이고 없애야 한다고 생각합니다. 그렇지만 현재 존재하고 있기에 방사선폐기물을 처리할 곳이 꼭 필요합니다. 이 과정에서 머리를 맞대고 사회적·환경적·문화적 피해를 최소화하는 방안을 만들고 대화와 설득을 통해 문제를 풀어나가는 노력이 무엇보다 필요합니다. 다른 혐오시설이나 심지어는 많은 사람이 환영하는 개발을 할 때도 마찬가지의 접근이 따라야 한다고 봅니다.

저는 그 이후 지역 현안을 둘러싼 갈등을 어떻게 풀어나가는 게 이상적인지에 대해 깊이 고민하게 되었습니다. 그 해답은 정책을 풀어내는 정치의 역량이며 이것을 축적하는 게 시급하다는 판단을 했습니다.

수요 모임에서 지정폐기물처리장 반대 운동을 전개한 것은 광양에 환경운동연합이 조직되는 계기가 되었습니다. 이것은 순천보다 시기가 더 앞섰습니다.

저는 지역 운동에 참여하면서 사업에도 최선을 다했지만 사업은 점점 나빠졌습니다. 변화가 필요하다고 생각했지만 무엇을 어떻게 할지 구체적인 방법을 찾지 못했습니다.

결혼과 사법고시 도전

제가 새벽을 여는 노동 문제 연구소에 참여하고 있을 때의 일입니다. 이 단체와 관련을 맺고 있던 사람들이 함께 모이는 자리를 만들기 위해 MT를 떠났습니다. 저녁에 술자리가 있었는데, 그때 아는 사람들이 많지 않은 저는 지인들과 한쪽 자리에서 조용히 대화를 나누고 있었습니다. 그때 근처에서 한 여성이 목소리를 높여가며 한종록이라는 사람에 대해 이야기하는 게 들렸습니다.

한종록 씨는 저의 순천고, 연세대 행정학과 선배로 저에게 학생운동을 권했던 사람입니다. 그는 이후 운동권 학생 강제징집인 녹화사업의 희생자가 되었습니다. 휴가 때면 군 정보기관에서 학생운동권 동향 정보를 요구했는데, 이를 거절해서 말할 수 없는 고초를 겪었습니다. 저는 이를 보면서 젊은이를 억압하는 야만적인 사회구조에 대한 분노를 느꼈으며 한편으로는 미안한 마음을 가지고 있었습니다.

저는 그 사람에게 다가가 "한종록 선배를 아세요?"라며 물었습니다. 그러자 그분은 "당신은 한종록을 어떻게 아세요?"라며 되물었습니다. 제가 한 선배와의 인연을 이야기하자 그녀는 자신이 한종록의 동생이라고 했습니다. 이 일을 계기로 저는 이분과 친해졌습니다.

어느 날 이분이 저에게 애인이 있느냐고 물었습니다. 제가 없다고 하자, 자신이 가장 아끼는 세상에서 제일 착한 친구가 있다며 그녀를 저와 맺어주고 싶다고 했습니다. 그리고 아내를 소개해주었습니다. 그뿐만 아니라 주변에서 끊임없이 자리를 만들며 사귈 수밖에 없게끔 유도했습니다. 우리는 사랑에 빠졌고 1994년 10월에 결혼했습니다.

달콤한 신혼은 길지 않았습니다. 1995년 9월에 큰애를 낳았는데 그 무렵 사업이 걷잡을 수 없이 악화되었습니다. 하루하루 버티기가 힘든 지경이었습니다. 저는 결혼할 때 아버지로부터 전세금을 받아 살림을 시작했습니다. 그리고 당시 부유한 편이었던 처가로부터도 경제적인 지원을 받았습니다. 이 돈으로 저는 1년 후에 입주할 아파트를 계약했습니다.

새 아파트로 이사한 지 얼마 되지 않아 저는 사업을 정리하기로 마음먹었습니다. 아파트를 전세로 주고 그 전세금과 아버지의 재산 일부를 처분한 것으로 부채를 정리했습니다. 그리고 부모님 집으로 들어갔습니다. 이렇게 사업을 정리하고 나니 가족에게 폐를 끼쳤다는 죄송함과 앞으로 가족이 어떻게 먹고살지에 대한 막막한 마음이 저를 짓눌렀습니다.

새로운 사업을 할 자본도 없고 학생운동과 노동운동 전력이 있는 저를 받아줄 직장을 찾기도 어려웠습니다. 이리저리 궁리를 하다가 '내 몸에 투자해보자'는 데 생각이 미쳤습니다.

어머니 사촌동생으로 남양주에서 병 공장을 해서 큰돈을 번 분이 계십니다. 그런데 전 재산을 털어먹는 사기를 두 번이나 당해서 망했습니다. 그때 이분은 '머릿속에 들어간 것은 남아 훔쳐가거나 사기를 칠 수 없으니 지식을 쌓자'고 결심했답니다. 그리고 공부에 투자했습니다. 컴퓨터 직물 분야를 독학으로 집중적으로 파고들었습니다. 극도로 집중하고 긴장하여 몸의 반쪽만 털이 날 지경이었다고 합니다. 3~4년이 지나자 그 분야를 완전히 마스터하여 최고 전문가가 되셨습니다. 그분의 이야기가 떠올랐습니다.

그리고 5년이라는 시간을 생각해보았습니다. 사업을 새로 시작할 돈도 없거니와 만약 있다고 하더라도 자리를 잡기까지 5년은 걸릴 것입니다. 그 5년이라는 시간을 내 몸에, 머리에, 지식에 투자하면 자본에 투자하는 것만큼의 결과를 얻을 수 있으리라는 판단도 들었습니다.

5년 전을 더듬어보았습니다. 그때 무엇을 했는지 크게 기억나는 게 없었습니다. 큰 의미 없이 너무 빨리 지나간 세월이었습니다. 저는 '미래의 5년은 길게 느껴지지만 과거의 5년은 짧았다. 5년 후에도 되돌아보면 지금과 마찬가지일 것이다'라고 생각했습니다. 저는 8년간의 사업에 종지부를 찍고 36세의 나이로 사법고시라는 새로운 영역에 도전하기로 마음을 먹었습니다.

제가 결심을 밝히자 아내는 "알아서 하라"고 했습니다. 뾰족한 대책이 없는 상황에서 나의 선택을 신뢰한다는 암묵적인 동의였습니다. 하지만 아버지는 극구 말리셨습니다. 어찌 보면 지극히 당연한 반응이셨습니다. 저는 뜻을 꺾지 않고 고시공부를 시작했습니다.

저에게는 사업할 때 타고 다니던 낡은 다마스 한 대가 있었습니다. 이 차를 타고 순천대학교 도서관으로 출퇴근하며 공부했습니다. 교사인 아내가 한 달에 20만 원씩을 용돈으로 주었는데 이 돈으로 책을 사고 식사도 해결했습니다.

아침 8시면 도착해서 밤 11시에 나올 때까지 하루 15시간을 도서관에서 보냈습니다. 식사나 휴식을 빼고 10시간 이상을 꼬박 공부에 집중했습니다. 휴일도 거르지 않고 열심히 공부했습니다. 공부를 시작한 첫해 경험 삼아 치른 1차 시험에 떨어진 것은 당연한 일이었습니다. 그런데 그다음 해 1차 시험 낙방은 많이 아쉬웠습니다. 선택 과목 등 변수가 일부 있었지만 나의 계획에 따라 나에게 맞는 공부를 하지 못하고 남들이 일반적으로 하는 스타일에 맞춘 게 패인이었습니다.

하지만 성과가 있었습니다. 어떻게 공부해야 할지 감이 잡히고 자신감이 생겼습니다. 저는 불과 몇 문제 차이로 실패했는데 다음에는 충분히 만회할 수 있다는 판단이 생겼습니다.

1차 시험 실패 후 서울을 방문했습니다. 사업을 하는 선배 두 사람을 각각 따로 만났습니다. 공교롭게도 이 두 분은 모두 월급 200만 원씩을 줄 터이니 자신의 회사에서 일하라고 제안하셨습니다. 선배들이 고맙고 순간적으로 솔깃했습니다만 마음이 변하지는 않았습니다.

집에 돌아와 이 이야기를 했더니 아내가 화를 냈습니다. 표현하지 않았지만 자신과 의논 없이 중요한 일을 일방적으로 쉽게 결정한 것이 못내 서운했을 겁니다. 그리고 불안한 마음도 있었을 것입니다. 생활이 어렵다는 현실적인 문제도 있었습니다. 저는 아내를 설득했습니다. 이번 1차에 붙었으면 어차피 2차 시험을 보기 위해 1년 더 공부해야 하는데, 내년에 1차와 2차를 동시에 합격하면 마찬가지라고 했습니다. 위기를 모면하기 위해 그렇게 말했지만 그럴 자신이 샘솟고도 있었습니다. 그리고 이듬해 저는 사법고시 1차 시험에 합격했습니다.

아버지의 병환

제가 1차 시험에 합격하자 온 가족이 모두 기뻐하셨습니다. 처음에 반대하던 아버지도 역시 매우 흐뭇해하셨습니다. 합격자 발표 후 1주일 쯤 지났을 때, 제 둘째 여동생의 시어른께서 축하 식사를 사겠다고 하셨습니다. 그분은 아버지와 성격이 비슷해서 평소에도 잘 술자리를 자주 가지며 잘 어울리시곤 했습니다.

아버지는 고기와 생선을 좋아하시고 잘 드시는 분입니다. 그런데 그날은 이상하리만큼 고기를 거의 드시지 않으셨습니다. 다음 날 아침에 도서관으로 가기 전에 인사하러 안방으로 갔더니 아버지께서 비스듬히 앉아 가쁜 숨을 몰아쉬고 계셨습니다. 새벽 3시부터 그랬다고 합니다. 아버지는 협심증이 있었는데 그게 심해진 것 같아 보였습니다.

우리는 급히 병원으로 향했고 아버지는 먼저 순천의 성가롤로병원에서 초음파 검사를 받았습니다. 심근경색이었습니다. 응급조치 후 전남대병원으로 이송하라고 했습니다. 순천에 치료 장비가 없어 이송 중 죽음의 위험을 무릅써야 한다는 의사의 설명이 몹시 두려웠습니다.

제 여동생이 순천 한국병원의 간호사로 있었는데 제게 전화를 했습니다. 자기 병원 내과 과장이 대학병원 이송 전에 한번 봤으면 좋겠다고 했습니다. 한국병원에서 4시간 가까이 치료를 한 후 위험한 고비를 넘겼습니다.

아버지의 상태는 많이 나빴습니다. 심장 외벽을 흐르는 관상동맥이 많이 막혀 세포가 많이 죽은 상황이었습니다. 한국병원에 4일 계시다가 전남대병원으로 가셨습니다. 하지만 상태가 나빠 심혈관 조영술 등의 적극적인 치료는 하지 못하고 곧 퇴원하셨습니다.

아버지는 집으로 돌아와서 누워 계셨고 저는 순천대학교 도서관에서 공부를 했습니다. 그 당시 저는 삐삐를 가지고 있었는데 아버지의 상황이 나빠지면 연락이 오고 그때마다 달려가곤 했습니다. 아버지의 상태는 더 악화되었습니다. 심부전이 생기고 폐에 물이 찼습니다. 숨을 제대로 못 쉬었습니다.

결국 입원하셨고 저는 도서관과 병원을 오갔습니다. 위험한 순간들도 여러 번 있었습니다. 사래가 걸려서 기도 삽관을 하기도 했습니다. 이때 의식이 분명하고 말씀도 하셨는데 자꾸 돌아가신 할머니가 보인다고 하셨습니다. 삽관 후 20여 일 후에는 관을 뽑았고 20여 일 더 지나서는 퇴원을 하셨습니다.

제 오랜 친구로 서울에 있는 의사 이승규가 서울에 모셔서 치료를 하자고 권했습니다. 그 전에는 상황이 위중해 엄두를 못 내다가 위험한 고비를 넘긴 후에 승용차를 빌리고 긴급 의료 장비를 갖추어 서울로 향했습니다. 세브란스병원 응급실을 거쳐서 입원을 했습니다.

아버지는 심방과 심실 사이 격벽이 뚫린 상태였고 혈액 흐름에 문제가 있었습니다. 담당 의사는 심혈관 조영술을 권했습니다. 제가 위험하지 않냐고 했더니 의사는 이렇게 말했습니다. "꼭 해야 하는데 위험하다고 피하는 건 옳지 않습니다. 물론 심혈관 조영술 중 위험해질 가능성이 있습니다. 하지만 그런 일이 일어나면 즉시 의료진이 동원되어 수술을 시도합니다. 수술 중 잘못될 확률은 거의 없습니다." 세브란스병원은 심장 수술에서 많은 경험과 역량을 보유하고 있었습니다. 저는 그날 임상 경험이 풍부하고 실력이 축적된 대학병원이 얼마나 기술적으로 앞서가는지 경험으로 알게 되었습니다. 그리고 지역에 이런 병원이 부족한 게 못내 아쉬웠습니다.

아버지는 결국 9시간 30분에 걸쳐 개복하여 심장을 직접 치료하는 대수술을 했습니다. 하필이면 수술 날이 제가 2차 시험을 보는 날과 겹쳤습니다. 저는 깊이 고민했습니다. 그리고 시험을 보러 가기로 결정했습니다. 합격 가능성이 전혀 없지만 경험을 쌓는 게 중요했습니다. 만약 그다음 해 2차 시험을 볼 때 경험이 부족한 게 문제가 되면 앞으로 아버지를 원망할 수도 있을 텐데 그런 일은 없어야겠다는 생각이 들었습니다. 저는 4일 동안 병원을 오가며 시험을 치렀습니다.

수술은 아주 잘되었습니다. 아버지는 수술 후 7일이 지나서 퇴원하고 집으로 내려왔습니다. 동네의 많은 분들이 문병을 오셨습니다. 아버지는 손님들에게 "동용이하고 동용이 친구 승규 덕분에 살았다"고 자랑을 하셨습니다.

그리고 20일이 흘렀는데 갑자기 나빠지셨습니다. 이번에는 뇌경색이었습니다. 큰 수술을 받은 지 얼마 되지 않아서 다시 큰 수술을 하는 건 무리였습니다. 이송 중 위험이 있어서 큰 병원으로 옮기기도 어려웠습니다. 그때부터 언제 돌아가실지 모르는 상황이 계속되었습니다. 아버지는 의식을 잃었고 응급 상황이 반복적으로 이어졌습니다. 맥박이 1분에 160번 뛰고 혈압이 40에서 180을 오갔습니다. 저는 예전에 기도 삽관을 할 때 아버지께서는 묘비명에 "골약면장, 동광양시 시의회 의원"이라고 써 달라고 부탁하신 게 떠올랐습니다.

아버지는 강인한 분이셨습니다. 그 상황에서도 위기를 넘기셨습니다. 그때 저는 어머니께 공부를 위해 서울로 가겠노라고 했습니다. 이런 결정을 내리기까지 숱한 고뇌가 있었습니다. 모질지만 아버지와 모든 가족을 위해 그것이 옳다고 판단했습니다. 만약 여기서 더 공부가 지체되어 내년에도 시험에 실패한다면 그것은 모두에게 상처가 될 것이라 생각했습니다.

서울로 올라와 신림동 고시원에 방을 잡았습니다. 매일 두세 차례, 30분씩 통화를 하며 상황을 살폈습니다. 그러다 한 달쯤 되었을 때 어머니가 내려왔으면 좋겠다고 하셨습니다. 제가 "돌아가실 것 같아요?"라고 여쭈었더니 오늘 넘기시기 힘드실 것 같다고 하셨습니다. 여수행 비행기가 없어 사천행 비행기를 타고 급히 내려갔습니다. 제가 도착했을 때는 이미 아버지께서 세상을 떠난 후였습니다. 친지들과 의논 끝에 순천의 병원에서 장례를 치렀습니다. 금요일 오후에 돌아가셔서 일요일 출상을 했습니다. 주말이라 서울에서, 그리고 전국 각지에서 친지들과 제 친구들이 많이 찾아왔습니다.

극심한 슬픔이 찾아왔습니다. 하지만 이상하리만큼 눈물이 나지 않았습니다. 무의식적으로 참으려 애썼는지, 아니면 눈물을 참는 게 몸에 뱄는지 모르겠습니다. 출상할 때 제가 영정을 들었습니다. 장지로 가서 하관을 한 후에 흙을 뿌렸습니다. 그리고 저더러 그것을 밟으라고 했습니다. 도저히 할 수 없었습니다. 저는 못 하겠다고 했습니다. 집안 어른들이 하라고 하셨습니다. 밟으려 하니 눈물이 쏟아졌습니다. 참고 있던 슬픔이 쏟아져 주체할 수가 없었습니다. 얼마나 울었던지 지금도 한없이 서럽게 통곡하던 그때의 제 모습에 대해 이야기하는 어른들이 계실 정도입니다.

상을 치르고 일주일 후 서울로 올라가서 공부를 계속했습니다. 그런데 극심한 무력감에 빠졌습니다. 올라간 첫날부터 하루 열여섯 시간씩 잤습니다. 밥을 먹고 잠이 들면 다음 식사 벨이 울릴 때까지 계속 잠만 잤습니다. 그리고 꿈을 꾸었습니다. 꿈속에서 아버지를 만났습니다. 손을 맞잡고 화해했습니다. 그러면서 끝도 없이 울었습니다.

일주일 더 지나자 잠이 줄었습니다. 그런데 그 대신 기침이 났습니다. 저를 찾아온 친구 이승규가 제가 기침하는 걸 보고 병원에 가보라고 했습니다. 아무래도 결핵 같다고 했습니다. 병원에서 검사를 받았는데 결핵이 지나간 것으로 판정이 났습니다. 하지만 기침이 멎지 않아 한동안 기침약을 계속 먹었습니다. 기침이 멎은 후에는 오른발 아킬레스건의 통증이 심했습니다. 한

동안 제대로 걷지도 못해 고생했습니다. 이런 이상 반응이 계속 되면서 공부를 통 하지 못했습니다.

12월 1일이 되었습니다. 2차 시험 발표가 났습니다. 아버지가 수술을 받으실 때 보았던 시험입니다. 신림동 고시촌은 나가는 사람, 새로 들어오는 사람이 뒤섞여 분주했습니다. 제가 불합격한 것은 당연한 결과지만 전 과목 모두 과락인 게 충격적이었습니다.

다음 해 2차 시험을 기약하기에는 준비가 너무 부족한 상태였습니다. 다른 사람들은 꽤 진도가 나가 있는데 나는 그 기간 동안 도저히 따라잡을 수가 없을 것 같았습니다. 어차피 해도 안 되겠다 싶었습니다. 포기하는 게 더 낫지 않을까 생각했습니다.

그때 가족과 주변의 선배, 친구들이 제게 용기를 주었습니다. 돌이켜보면 그 격려들이 제가 고시공부를 그만두지 않도록 이끌었던 것 같습니다. 어느 날 고시원을 찾은 어머니께서는 제 아들의 타고난 운을 빌려서 제가 합격할 것 같은 예감이 든다고 하셨고, 저와 스터디를 같이 하던 형은 저의 논리적 사고력이 고시에 적합하다고 했습니다. 합격하리라 믿지만 자만할까봐 지금까지 이야기하지 않았다는 선배도 있었습니다.

객관적인 상황으로 보면 공부한 양이 부족하고 시험 날까지 공부할 시간도 얼마 남지 않아 포기하는 게 합리적으로 느껴졌습니다. 하지만 저는 따뜻한 위로에 힘을 얻으며 포기하지 않고 공부를 계속하기로 했습니다.

서울에서 열린 월드컵으로 세상이 들끓던 2002년, 저는 긴박한 마음으로 공부에 열중했습니다. 어느 날은 산책을 마치고 방에 들어가려니 다시는 못 나올 것 같은 공포심에 휩싸였습니다. 도저히 들어가지 못하고 30분을 밖에서 서 있었습니다. 공황장애의 한 종류로 여겨지는 이런 증상은 2차 시험을 볼 때까지 간헐적으로 나타났습니다.

2차 시험을 볼 때는 출제될 문제를 거의 예측할 정도로 자신감이 붙었습니다. 첫 과목에서 헤매는 바람에 잠시 실의에 빠지긴 했지만 이내 마음을 고쳐먹고 나흘간의 시험을 잘 마쳤습니다. 그리고 이 정도면 됐다는 홀가분한 생각이 들었습니다.

또다른시작

 2차 시험이 끝나던 날, 신림동 고시촌이 들썩거렸습니다. 저는 인상 좋은 슈퍼 아주머니에게 "다시는 여기 오지 마세요"라는 덕담을 들으며 짐을 포장해 택배로 부쳤습니다. 그러고는 기차를 타고 광양으로 향했습니다. 떠나기 전 친구와 통화를 했는데 몇 시 기차로 오는지 물었습니다. 마중을 나오려 한 겁니다. 저는 극구 말렸지만 제가 순천역에 도착했을 때 친구 몇몇이 나와 있었습니다.

 제가 가까이 다가서자 친구들의 눈시울이 붉어졌습니다. 뼈에 가죽만 붙은 듯 앙상하게 마른 제 모습이 가련하게 느껴졌다고 합니다. 그들과 식사를 하러 가는 길에 또 다른 친구 일행이 탄 차와 마주쳤습니다. 차에서 내려 인사를 나누었습니다. 그

차에는 네 사람이 타고 있었는데 애처로운 눈길로 저를 바라보더니 "고생 정말 많았구나"라고 힘겹게 한마디를 내뱉었습니다.

저는 합격자 발표가 날 때까지 한 번도 낙방할 것이라 생각하지 않았습니다. 막연한 불안감조차 없었습니다. 이듬해 저는 합격자 발표에서 제 이름을 확인했습니다. 기뻤지만 아버지가 이 소식을 듣지 못하고 떠나신 게 한스러웠습니다.

2003년 사법연수원에 들어갔습니다. 그해 1,000명을 선발했는데 한 반에 60명씩 총 16반으로 편성되었습니다. 연수생 중에서 기수 전체를 대표하는 자치회장과 각 반의 반장을 뽑았는데 연장자를 우선으로 했습니다. 나이가 많은 저는 11반 반장이 되었습니다.

좋은 성적을 올려 판사나 검사로 임용되는 것을 목표로 삼았던 다수의 사법연수생들과 달리 저는 임용 가능성이 거의 없었습니다. 마흔이 넘은 나이에다 학생운동으로 두 번의 구속 경력이 있기 때문입니다.

그렇지만 낮은 성적으로 부끄러운 일을 겪기는 싫어서 열심히 공부했습니다. 반장은 사법연수원 교수와 연수생 간의 조율과 각종 행사를 챙겨야 하는 바쁜 위치였습니다. 저는 숨 막히는 경쟁에 스트레스를 토로하는 나이 어린 동기들을 다독였습니다. 술 한잔하고 싶을 때는 언제든지 나를 찾으라고 말했습니다. 실제로 여러 연수원 동기들이 찾아와 저에게 고민을 털어놓았습니다. 그렇게 열심히 법률을 공부하며 나이 어린 동기들과 부대끼며 사법연수원 시절을 보냈습니다.

사법고시 2차 시험 합격자 발표가 난 후 얼마 지나지 않아 노무현 후보가 제16대 대한민국 대통령으로 당선되었습니다. 그래서인지 막연한 동질감을 느꼈으며 존경하고 애정을 품었습니다. 하지만 기득권층이 대통령을 인정하지 않고 마구 흔들어댈 때 저도 결국에는 그 프레임에 갇혔던 점을 인정하며 반성하고 있습니다.

예를 들어 노 전 대통령은 "남북 관계만 성공시키면 나머지는 깽판 쳐도 괜찮다"는 발언을 했습니다. 이 말은 남북 관계의 중요성에 초점을 맞추고 있음을 누구나 잘 알고 있습니다. 자연스러운 발언입니다. 약간 거친 어휘 선택이 있지만, 권위주의를 타파하는 유머러스한 표현으로 받아들일 수도 있습니다. 그런데 보수 언론은 '깽판'이라는 단어 하나에만 집중했습니다.

저는 처음에는 지엽적인 부분에 집요하게 꼬투리를 잡는 보수 언론들의 태도가 못마땅했습니다. 그러면서 앞으로는 그런 빌미를 주지 않도록 용어 선택이 신중했으면 좋겠다고 생각했습니다. 그러다 노무현 대통령이 또 그런 표현을 쓰면 '발언의 취지에는 공감하지만 조금 고급스러운 어휘를 사용하면 좋을 텐데'라고 약간은 불만스럽게 생각하게 되었습니다. 나중에는 보수 언론들이 그러듯 그 단어 자체에 민감하게 반응하는 제 자신을 발견하고는 놀라곤 했습니다.

제가 제일 좋아한 한국 대통령인 그분이 가장 성공적인 퇴임 대통령이 되기를 바랐건만 비운의 선택으로 몰린 것이 슬프기 그지없습니다. 그렇지만 저는 노 전 대통령이 추진한 일 중 두 가지는 더 치밀하게 추진되었다면 좋았으리라는 아쉬움을 가지고 있습니다. 하나는 로스쿨 도입이고 다른 하나는 부동산 정책입니다. 책을 쓰는 현재 사법시험 존치와 로스쿨이 사회적 화두로 등장했습니다. 그리고 불안정한 부동산 가격과 높은 전셋값이 서민에게 부담이 되고 있습니다. 저는 개인적으로 '8·31 부동산 대책'과 같은 시장 과열 정책을 먼저 수립하여 시행한 후에 혁신도시 개발에 들어갔다면 더 효과적이었으리라 생각합니다. 그리고 로스쿨의 도입 여부와 시행 시기, 방법 등을 결정할 때도 충분한 사회적 논의를 거치고 그 효과와 부작용에 대해 깊이 연구하고 토의한 후에 시행했더라면 하는 아쉬움을 가지고 있습니다.

제가 가장 좋아하는 대통령의 정책적 아쉬움을 굳이 이야기하는 이유는 여기서 어떻게 정치력을 펼쳐야 하는지 실마리를 찾을 수 있기 때문입니다. 저는 노 전 대통령의 사례에서 정치인이란 가장 옳은 것이 아니라 실현 가능한 가장 올바른 것을 말해야 한다는 교훈을 얻었습니다. 그리고 정치적 선택을 할 때는 그 파장을 면밀히 검토하고 영향을 제어할 역량이 뒷받침되어야 함도 깨달았습니다. 이런 과거 교훈에 입각하여 사회 모든 영역에서 수준 높은 정치력이 발휘되고 대한민국이 진정으로 발전하기를 바랍니다.

인문학 독서가 나의 힘

저는 학교 시절을 통틀어 최상위권을 차지한 적이 없습니다. 그래서 2등 콤플렉스 같은 게 생기기도 했습니다. 항상 똑똑한 사람들 앞에서는 주눅이 들고 제 의견을 자신 있게 내세우지 못하는 경향이 존재했습니다. 중·고등학교 시절은 물론 학생운동을 할 때도 그랬습니다. 하지만 사법연수원에서는 달랐습니다.

우리나라에서 가장 공부를 잘한다는 사람들, 그것도 생생한 젊은 두뇌가 모인 곳에서 콤플렉스를 느끼지 않았습니다. 오히려 그들이 제게 학습 내용에 대해 질문했으며 저는 당당하게 제 생각을 들려주곤 했습니다. 사법연수원 수료 후에도 소위 똑똑하고 잘나가는 사람의 이야기를 비판적 안목으로 수용할 수 있는 자신감과 여유가 생겼습니다. 제게 어떻게 이런 변화가 일어났는지 궁금했습니다.

독일에서 철학을 공부한 정대성 박사는 제게 그 이유를 간단히 설명해주었습니다. 제가 대학 시절 고민을 거듭하며 해답을 찾는 과정에서 엄선해서 읽은 500여 권의 책이 비결이라고 합니다. 간절한 마음으로 집중력을 발휘해 독서하는 동안 지식이 쌓이고 논리적인 역량으로 축적되었으며 그것이 경험과 합쳐지면서 더욱 힘을 발휘하게 되었다는 겁니다. 그 말을 들은 후 저는 더욱 독서에 열중하게 되었습니다. 특히 인문학적 감수성을 기르는 책 읽기에 집중하고 있습니다.

저는 글을 깨치고 초등학교에 다니던 시절부터 책 읽기를 즐겼습니다. 중·고등학교 시절에는 광양에 한두 곳밖에 없는 서점 문턱이 닳도록 드나들며 독서에 열중했습니다. 돌이켜 생각하면 이 모든 독서는 제가 인생을 사는 데 이정표를 제시했습니다. 실용적으로는 논리적 사고력을 중요하게 평가하는 사법시험을 통과하는 데도 도움을 주었으리라 봅니다.

나이가 들면서는 사람의 본질을 통찰하는 인문학에 대한 관심이 깊어졌습니다. 그래서 서울대학교 '미래지도자 인문학과정'에 다니며 본격적인 공부를 하기도 했습니다.

저는 정치에 독서, 특히 광범위한 인문학 공부가 절실히 필요하다고 생각합니다. 나폴레옹이 알프스를 넘어 이탈리아로 쳐

들어간 일은 세계사의 대사건으로 꼽힙니다. 이것은 누구도 상상하지 못했던 기발한 발상입니다. 하지만 이것이 나폴레옹의 독창적 아이디어는 아닙니다. 그 1500년 전에 카르타고의 명장 한니발이 알프스를 넘어 로마로 진격했었습니다. 독서광이었던 나폴레옹은 이 기록을 읽어서 알고 있었고 그 전략의 가능성에 대해 심각하게 고민했던 것입니다.

침략과 정복전쟁을 미화할 수는 없겠지만 군이나 정부, 국가를 앞에서 이끄는 사람이라면 적어도 고전이나 역사 등 인문학적 독서를 통한 지식과 간접 경험을 지니고 있어야 할 것입니다.

특히 정치인은 인문학적 소양과 감수성, 상상력을 지녀야만 합니다. 그래야 사람을 이해하고 사람과 소통하며 조정을 통해 사람을 행복하게 하는 데 기여할 수 있습니다. 우리는 지금 인문학적 상상력이 고갈된 정치판을 목도하고 있습니다. 안타깝게도 그곳에는 '사람'이 들어설 여지가 없습니다. 인간애는 고사하고 격조나 품위조차 존재하지 않습니다.

저는 최근에 성공회대학교 김명호 교수가 쓴 『중국인 이야기⑴~4권⑴』를 읽고 있습니다. 이 책을 보면서 거대한 영토, 다양한 민족, 부침의 역사를 이끌어간 중국의 지도자들에게 인문학적 소양은 없어서는 안 될 능력이었음을 깨달았습니다. 그들은 고전과 역사의 거울로 현재를 비추어보았고 통찰력 있는 문장을 주고받으며 논쟁하고 설득했습니다. 그것이 거대 중국을 움직이는 정치의 힘이었습니다.

수많은 기업가가 인문학을 부르짖고 있습니다. 애플의 창업자 스티브 잡스는 창의력의 원천을 인문학에서 찾았습니다. 소프트뱅크의 손정의 회장은 중요한 의사결정에 앞서 역사적 사례를 광범위하게 조사하고 깊이 숙고한다고 알려졌습니다.

그런데 기업보다 인문학이 더 절실한 영역이 바로 정치입니다. 인간이 목적이며 본질인 정치야말로 인문학의 수혜를 가장 많이 받아야 합니다. 그러나 아쉽게도 한국 정치는 인문학과 너무 멀리 떨어져 있습니다. 이 척박한 풍토에서 책 읽는 정치가, 인문학적 소양과 상상력이 넘치는 정치가로 살고 싶습니다. 그러기 위해 오늘도 책을 파고듭니다.

가치를 추구하는 변호사

저는 사법연수원을 수료한 2005년 2월 변호사 개업을 했습니다. 처음에는 지인 몇 분과 합동 법률 사무소의 형태로 열었고 후에는 혼자서 변호사 사무실을 운영했습니다. 2007년에는 민주사회를 위한 변호사회 회원으로 가입했습니다. 변호사로서 기억에 남는 일들이 몇 가지 있습니다.

변호사가 된 초창기 외국인근로자지원센터에서 법률 지원을 했었습니다. 2주에 한 번 일요일에 나가 법률 자문을 하고 소송이 있을 때는 무료로 변론을 맡았었는데, 노동권이 취약한 외국인 근로자의 현실을 아프게 받아들이며 개선책을 찾고자 노력했습니다.

2006년에는 '일심회 사건'이라 불리는 국가보안법 위반 사건을 다루었습니다. 이 사건은 민주노동당 분열의 계기가 되는 등 진보 진영 내에서도 큰 파장을 일으켰습니다. 특히 변호인단의 중심이었던 이덕우 변호사는 민주노동당에서 책임을 맡고 있었기에 변론 과정에서 고민이 더욱 컸습니다. 저는 이 사건을 진행하며 매우 복합적인 심경이었습니다. 국정원으로부터 정보를 입수한 언론은 재판이 시작되기도 전에 '간첩'을 거론하며 피의자의 실명과 소속을 공개해 그 가족들을 괴롭게 했습니다. 이는 분명한 불법 행위입니다. 또한 피의자들이 의도하지 않은 사이에 실수한 것이 큰 사건으로 증폭되었다 하더라도 이는 분명히 진보 진영이 안고 있는 문제점과 상처를 드러내는 뼈아픈 일이었습니다.

2008년에는 미국산 쇠고기 수입에 반대하는 촛불이 광화문과 청계천 등지를 뒤덮었습니다. 그 당시 이명박 정부는 예상치 못했던 국민의 큰 저항에 부딪히자 어쩔 줄 몰라 했습니다. 대통령이 사과하며 수습하려 했지만 이미 많이 늦었습니다. 그 후 이명박 정부는 평화로운 촛불집회를 무리하게 진압하려 했습니다.

이때 한국YMCA전국연맹 사무총장인 현재 국회의원인 이학영 의원이 있었습니다. YMCA는 정보의 과도한 진압에 항의하는 뜻으로 '눕자 행동단'을 만들었습니다. "경찰이 진압하면 그

자리에 눕고, 끌려가면 다시 돌아와 눕자"라는 방침으로 비폭력 불복종 시위를 조직하려 했었습니다. 그런데 눕자 행동단이 시위 중에 바닥에 눕자 경찰은 끌고 가지 않고 그냥 밟았습니다. 누워 있는 사람을 곤봉과 군홧발로 짓밟는 비인간적 만행을 저지른 것입니다. 이에 대해 국가를 대상으로 한 손해배상 청구 소송을 진행했습니다. 이 소송으로 경찰 과잉 진압의 불법성을 밝혀낸 것이 의미 있는 성과였습니다.

2008년 7월 11일 금강산 관광 중이던 여성 관광객이 새벽에 산책을 하다 북한군의 총탄을 맞아 숨지는 실로 비참한 일이 일어났습니다. 고귀한 생명이 희생되었으며 이 사건으로 금강산 관광이 전면 중단되는 등 남북 관계가 완전히 얼어붙었습니다. 민족 화해와 통일의 염원이 강렬한 분들은 이런 상황이 견디기 어려웠을 겁니다. 대표적인 인물이 한상렬 목사님입니다. 그는 남북 간의 긴장감이 고조되던 2010년 6월, 6·15 남북 공동선언 10주년을 기념하기 위해 정부의 허가 없이 방북했습니다. 이와 더불어 북한에서의 행적이 범죄로 규정되었습니다. 한 목사는 2010년 8월 20일 돌아오자마자 구속되었고 재판이 진행되었습니다.

이 재판은 저에게도 큰 영향을 끼쳤습니다. 몇몇 극우 언론이 제가 법정에서 한 변론을 들어 저를 '국가관이 의심스러운 사람' 또는 '빨갱이'로 몰아붙였기 때문입니다. 법정에서의 변론은 법적 논리를 다투는 공방입니다. 논리적 전제를 부인하면 그 결과가 자연스럽게 부정되는 게 논리적 귀결입니다. 그래서 저는 "북한은 반(反)국가단체가 아니기 때문에 한 목사에게 국가보안법 위반 혐의를 적용할 수 없다"고 변론했습니다.

이 말은 일부 사람들에게 매우 충격적이었나 봅니다. 오른쪽 멀찍이서 보면 제 국가관이 의심스러울 수 있습니다. 하지만 저는 대한민국 국민입니다. 대한민국을 아끼고 사랑합니다. 시장경제가 더욱 발전하기를 바랍니다. 제 변론 역시 대한민국 헌법재판소와 대법원이 견지하고 있는 원칙의 한 축에 근거를 두고 있습니다. 대법원과 헌법재판소는 북한에 대해 '조국의 평화적 통일을 위한 대화와 협력의 동반자'임과 동시에 '대남적화노선을 고수하면서 우리 자유민주주의체제의 전복을 획책하고 있는 반국가단체'라는 성격을 함께 갖고 있다고 파악합니다. 쉽게 말해 북한이 어떤 때는 반국가단체이고 어떤 때는 반국가단체가 아니라는 뜻입니다. 북한이 반국가단체가 아니라는 말은 대한민국 헌법 가치에 바탕을 둔 법리 해석일 뿐 감히 입에 담아서는 안 될 좌익의 망발은 아닙니다.

그리고 한 목사가 구속되기 한 달 전쯤 대법원에서 남북공동선언실천연대의 국가보안법 판결이 났습니다. 여기서 북한의 이

적단체성을 규정하는 박시환 대법관의 의견이 제시되었습니다. 그 내용을 옮기면 다음과 같습니다.

"북한의 반국가단체성을 규명할 때에도 (…) 북한과 관련된 일체의 사항에 대하여 원칙적으로 국가보안법의 반국가단체를 전제로 한 규정이 자동적으로 적용되는 것이 아니라, 북한의 반국가단체적 측면과 직접적으로 연관되는 사항에 한하여 북한을 반국가단체로 취급하여야 할 것이다. 북한과 관련된 모든 행위에 대하여 북한의 반국가단체적 측면과 연관되었는지 여부와 상관없이 일단 반국가단체와 관련된 행위로 보아 그 행위를 국가보안법의 적용대상으로 삼은 뒤, 남북의 교류·협력을 목적으로 하는 등 대한민국의 존립·안전에 위해가 없는 행위임이 밝혀진 경우에 한하여 국가보안법의 적용을 면제해주는 식의 법적용은 국가보안법의 제정 목적, 국가보안법 제1조 제2항의 엄격적용 원칙, 헌법 제37조의 기본권 보장규정 등에 비추어 타당하지 않다. 그리고 이는 어떤 행위를 국가보안법 위반으로 처벌하기 위해서는 검사가 그 구성요건 해당사실을 증명해야 한다는 형사소송절차의 기본 원칙에도 어긋나는 해석이다."

이렇듯 제 변론은 대한민국 법체계 안에 있습니다. 저는 한 목사의 방북 사건의 맥락 속에는 북한의 이적단체성을 발견할 수 없고 이에 따라 국가보안법 위반 적용이 어렵다는 취지로 변론

했습니다.

저는 변호사로 법정에 서면서 우리나라의 체포, 구금, 재판 절차에서 인권 의식이 과거에 비해 훨씬 발전했음을 체감하고 있습니다. 물론 아직 부족한 점도 많습니다. 겉으로는 크게 느껴지지 않는 피의자 권리 하나하나는 과거 선배 변호사들이 끈질기게 요구하며 싸워서 얻어낸 것입니다. 그리고 그 일부가 관행과 상식으로 굳어지고 있습니다.

저는 변호사로서 이런 역사적 발전을 매우 소중하고 또 자랑스럽게 여깁니다. 한걸음 한걸음 이런 발전을 이루어낸 선배 변호사들을 존경합니다. 그리고 저 역시 가치를 추구하는 선량한 변호사의 길을 가고 싶습니다.

2015년 7월 저는 고향인 광양으로 변호사 사무실을 이전했습니다. 광양은 저와 제 조상의 태가 묻힌 곳이고 제가 자라고 공부했던 곳이며 고민이 가득하던 청춘일 때 사업을 하기 위해 땀 흘리며 발품을 팔았던 곳입니다. 제 땀과 눈물이 광양 곳곳에 배어 있습니다. 저는 지역 현안과 사회적 쟁점이 많은 광양의 법률적 문제를 깊이 고민하고 있습니다. 2015년 10월 초부터는 광양 지역의 한려대학교 졸업생, 재학생들이 설립자에게 등록금을 반환하도록 이끄는 소송을 대리하고 있습니다.

저의 법률적 전문성이 광양 발전에 많은 도움이 되기를 바랍

니다. 그리고 갈등 조정과 설득이 요구되는 일에서는 정치력을
발휘할 것입니다. 대한민국의 가치, 그리고 광양의 발전을 추구
하는 최고의 변호사요 정치가로 성장하고자 합니다.

잃어버린 눈물을 되찾기 위해

제 나이 또래의 한국 남자들은 대개 잘 울지 않습니다. 좀처럼 눈물을 흘릴 줄 모릅니다. 가부장제 교육과 문화 환경에서 성장하며 울지 않는 걸 미덕으로 여겨왔기 때문입니다. 한편으로는 문제에 감성적으로 접근하는 게 비합리적이라는 인식을 가지고 있습니다.

저도 그랬습니다. 좀처럼 눈물을 흘리지 않았습니다. 울 줄 모른다고 하는 게 적합한 표현인 것 같습니다. 길지 않은 인생을 돌이켜보면 울어야 할 때 울지 못했던 게 후회스럽습니다.

학생운동과 노동운동을 할 때 눈물을 흘리며 반대하는 부모님을 비정하게 대했던 것 같습니다. 부모님을 충분히 이해했으며 연민을 품었지만 이것은 눈물로 풀 수 있는 문제가 아니라고 생각했습니다. 논리적인 설득이 더 필요하다고 여겼을 겁니다. 하지만 저도 함께 눈물을 흘리며 대화할 수 있었다면 진정 어린 소통을 할 수 있었으리라는 아쉬움이 남아 있습니다.

아버지가 돌아가셨을 때도 처음에는 눈물을 흘리지 않았습니다. 그러는 게 슬픔을 대하는 의연함이라고 여겼던 것 같습니다. 하지만 하관을 하면서 잡았던 끈이 풀어지자 무너지듯 통곡하며 오열했습니다. 장례 후 제법 긴 시간 동안 쏟아지는 잠에 시달렸습니다. 꿈속에서 아버지를 만나고 울고 또 울었습니다.

학생운동과 노동운동을 하면서, 변호사 생활을 하면서 개인이나 가족적으로 아픔을 겪고 다른 이들의 슬픔을 본 일이 적지 않습니다. 그때 저는 눈물을 흘리기보다는 합리적 과정으로 문제에 접근하고 그것을 해결하는 게 더 바람직하다고 여겼습니다. 물론 제 생각이 완전히 틀리지는 않습니다. 하지만 한 가지 놓치고 있었습니다. 눈물이야말로 소통이며, 그것이 문제를 풀어가는 출발이 된다는 사실을 말입니다.

최근 제 친구 한 명이 금지옥엽처럼 키워온 외아들을 군에 보냈습니다. 아내와 함께 아들의 입대를 배웅하고 돌아왔는데, 그때 찍은 사진을 보았습니다. 사진 속 제 친구의 아내는 눈이 퉁퉁 부어 있어 한눈에 보기에도 많이 울었다는 느낌이 들었습니다. 하지만 제 친구의 눈빛은 슬픔이 고여 있기는 하지만 눈물의

흔적이 없었습니다. 그러고 돌아와서는 아들의 빈방에 들어가 문을 걸어 잠그고 홀로 소주잔을 들이켜며 펑펑 울었다고 합니다. 평범한 모습이지만 조금은 어리석게 느껴집니다. 아들에게 눈물로 짧은 이별과 염려의 정을 표현하고 아내와 함께 울며 마음을 나누었다면 더 좋지 않았을까 생각해봅니다.

한국 남자들의 취미 1호는 TV 시청입니다. 제 아내도 결혼 초 퇴근하면 TV에 열중하는 저를 못마땅하게 여겼고 이 문제로 자주 다투곤 했습니다. 법륜 스님의 법문 자리에 간 적이 있는데 한 여성분이 남편이 주말마다 TV에 빠져들어 모처럼의 시간을 허비한다는 불만을 털어놓은 적이 있습니다. 그때 법륜 스님은 한 주 내내 시달린 남편이 TV를 통해 휴식을 취하는 걸 이해하라고 권유했습니다. 법륜 스님이 저와 같은 생각을 했는지는 모르겠지만 저는 한국 남자들이 왜 그토록 TV에 탐닉하는지 알고 있습니다.

사업을 하든 직장생활을 하든 한국 남성들은 극도의 압박감에 짓눌려 있습니다. 매일매일 사업이 망하거나 직장에서 쫓겨나는 위기가 펼쳐집니다. 이것은 비단 남성만의 것은 아닙니다. 그런데 남성의 사고방식은 좀 다릅니다. 『화성에서 온 남자, 금성에서 온 여자』라는 책 제목이 선명하게 표현하듯 극명한 차이를 보입니다. 여성은 사안 하나하나에 세밀하게 접근하고 그 속에서 정서적 교감을 이루는 것을 중요하게 여깁니다. 하지만 남성은 세부적인 과정보다는 문제의 근본적 해결을 추구하는 경향이 있습니다.

예를 들어 아내가 고부 갈등을 호소하면 남편은 그 문제의 근본적인 해결책을 찾으려 합니다. 평생 그렇게 살아오셨기에 부모님이 변하는 것은 불가능합니다. 그래서 아내와 이혼하는 것이 유일한 해결책이라는 엉뚱한 결론에 도달합니다. 아내의 이야기를 잘 들어주고 공감하며 작은 문제부터 풀어나가는 시도를 하지 않습니다.

문제를 대하는 방식이 이러하다 보니 한국 남성들은 직장과 가정, 그리고 사회적 문제 해결에 대한 무거운 압박감을 짊어지고 있습니다. 이것을 생각하기가 두렵습니다. 깊은 생각은 생존의 위협 요소입니다. 그래서 잠시라도 회피하고 싶습니다. 결과적으로 생각을 연기하는 수단으로 TV를 선택합니다. 생각을 이완시키며 TV 오락 프로그램에 몰두합니다. TV 시청으로 금쪽같은 여가 시간을 허비하는 한국 남성의 모습은 한심하다기보다는 서글픈 자화상일지도 모릅니다.

한국의 아빠와 남편들에게 무거운 짐을 지우고 있는 한국 사회가 바뀌어야 할 것입니다. 정치가 그것을 풀어주어야 합니다. 그리고 무엇보다도 스스로가 나서서, 그리고 가족이 도와줌으로써 잃어버린 눈물을 찾아야 합니다.

눈물은 소통입니다. 한국 중년 남성들은 울지 못하기 때문에 소통할 줄 모릅니다. 아내와 자녀, 그리고 이웃들과 어떻게 대화할지 막막해합니다. 우는 사람에게는 함께 우는 것이 그 어떤 말보다 큰 위로가 됩니다. 눈물을 통해 아내, 자녀, 부모님, 이웃과 마음을 나누는 소통을 할 수 있습니다. 눈물은 남자의 부끄러움이 아닙니다.

이제 아빠의 눈물을 되찾아주기, 남편의 울음을 회복하기 운동을 펼쳐야 할 때가 아닌지 생각해봅니다.

아름다운 사람들

저는 사람 복 하나만은 타고났습니다. 주위에 좋은 사람들이 넘쳐나며 그들이 저를 돕고 있습니다. 이 사람들이 저를 행복하게 했습니다. 가치와 목표를 세워주었고 비틀거릴 때 바로잡아 주었습니다. 쓰러졌을 때 일으켜 세웠으며 용기를 주며 다독여 앞으로 나아가게 했습니다.

저의 가족, 굽이굽이 숱한 곡절을 묵묵히 인내하며 제 곁에 있어준 아내와 두 자녀는 제 생명의 원천입니다. 어머니와 누나, 그리고 동생들 역시 제 최고의 우군이 되어주십니다.

제 인생에서 여러 친구를 빼놓을 수 없습니다. 초등학교 3학년 때 처음 만나 함께 교회를 다녔고 학교생활을 같이 했으며 계모임을 유지하며 40년 가까운 우정을 지켜온 이승규는 제가 존경하는 사람이기도 합니다. 그는 평화사랑나눔의료봉사단을 만들어 15년 가까이 외국인 근로자를 위한 의료봉사를 실천하고 있는 훌륭한 의사입니다.

제가 연세대학교에 다니며 학생운동을 할 때 저 하나를 졸업시키려고 시간을 내고 정성을 쏟으며 노력해준 순천고등학교 동기와 선배 여러분은 살아가는 중에 늘 떠오르는 얼굴들입니다. 그 덕분에 저는 부모님의 간곡한 부탁을 저버리지 않은 아들이 될 수 있었습니다.

제가 서울 생활을 시작하면서 신세를 졌던 당숙과 당숙모, 그 자녀들은 늘 아련한 모습으로 남아 있습니다. 착하고 성실히 살았음에도 늘 닥쳐온 불행이 그치고 이제부터는 행복만이 가득하기를 바랍니다. 그리고 당숙 댁과 같은 서러움이 더는 일어나지 않도록 노력하는 게 가치의 정치를 하고자 하는 제 사명임을 깨닫습니다.

제 아내와의 만남을 주선하고 결혼에 이르기까지 수고를 아끼지 않으신 한종희 선생님은 제가 고시공부를 하던 중에 둘째를 낳았을 때 축하 화분을 보내주셨습니다. 여기에는 "네 엄마처럼 착하고, 네 아빠처럼 한결같은 사람이 되라"라고 리본이 달려 있었습니다. 이 말은 제 평생 받은 칭찬 중 가장 과분한 것이었습니다. 그 뜻을 기억하고자 서예 하는 친구에게 '한결같이'

라는 글씨를 써달라고 해서 벽에 걸어놓고 있습니다. 한결같은 사람이 되겠습니다.

함께 학생운동과 노동운동을 했던 여러분의 얼굴도 떠오릅니다. 지금도 운동을 계속하는 분들에게 무한한 존경심을 갖고 있습니다. 그리고 불면의 밤을 지새우며 고민하고 좌절한 분들이 상처를 갖지 않기를 바랍니다. 어디에 있든 가치를 지키며 함께 성실히 살아갑시다.

못난 저를 운명의 파트너로 여기시던 아버지가 그립습니다.

4

광양시 지역여건 및
주요 현안에 대한
광양시민 설문조사 보고서

2015년 10월

광양희망발전연구소 마로의 꿈

이 보고서는 광양희망발전연구소 '마로의 꿈'(대표: 서동용)이
지난 5월에 민간연구소인 사단법인 휴먼네트워크 상생나무에 의뢰
해서 광양시민을 상대로 실시한 설문조사 결과에 광양희망발전연
구소 서동용 대표의 설명과 분석을 담은 것이다.

차례

I. 조사 개요

1. 조사 목적

- 광양시정 및 지역여건에 대한 시민들의 인식을 종합적으로 파악함으로써 주민의 삶의 질 개선을 위한 정책을 개발하는 데 활용

- 광양의 주요 현안에 대한 시민들의 판단을 객관적인 조사를 통해 살펴봄으로써 현안 문제에 대한 합리적 접근과 문제해결을 위한 대안을 모색

2. 조사 설계

- 조사 방법: 일대일 면접조사
- 조사 지역: 광양시
- 조사 대상: 광양시에 거주하는 만 20세 이상의 성인 324명
- 표본추출 방법: 지역별·연령별 인구 비율에 따른 비례 할당
- 표본오차: 95% 신뢰수준에서 ±5.65%포인트

3. 응답자 구성

응답자의 거주지역

항목	빈도	비율(%)
광양읍	116	35.8

본강면	9	2.8
옥룡면	8	2.5
옥곡면	9	2.8
진상면	9	2.8
진월면	10	3.1
다압면	5	1.5
골약동	6	1.9
중마동	84	25.9
광영동	28	8.6
태인동	8	2.5
금호동	32	9.9
전체	324	100.0

응답자의 연령

항목	빈도	비율(%)
20대	43	13.3
30대	52	16.0
40대	85	26.2
50대	76	23.5
60대	52	16.0
70대 이상	16	4.9
전체	324	100.0

응답자의 직업

항목	빈도	비율(%)
농업, 임업, 어업, 축산업	27	8.5
자영업	41	12.9
판매, 영업, 서비스직	49	15.4
생산, 기능, 노무직	31	9.7
사무, 기술, 전문직	60	18.9

공무원	14	4.4
전업주부	53	16.7
학생	19	6.0
무직, 퇴직, 기타	24	7.5
전체	318	100.0

응답자의 학력

항목	빈도	비율(%)
중졸 이하	45	14.6
고졸	146	47.4
대졸	111	36.0
대학원	6	1.9
전체	308	100.0

응답자의 성별 분포

항목	빈도	비율(%)
남성	158	48.8
여성	166	51.2
전체	324	100.0

응답자의 소득

항목	빈도	비율(%)
200만 원	68	24.1
200~400만 원	128	45.4
400만 원	86	30.5
전체	282	100.0

II. 조사 결과

1. 광양시정 및 지역여건에 관한 인식

(1) 광양시 거주 만족도

Q. 현재 광양시에 살고 있는 데 대해 얼마나 만족하고 계십니까?

	빈도	비율(%)
매우 불만족	5	1.6
대체로 불만족	49	15.4
보통	144	45.3
대체로 만족	108	34.0
매우 만족	12	3.8
전체	318	100.0

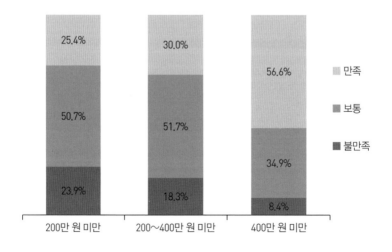

- 광양시에 살고 있는 것에 대해 만족한다는 응답이 37.8%, 불만족하다는 응답은 17.0%로 만족이 20.8% 더 높게 나타남.

- 소득수준별로 보면 소득이 높을수록 광양시 거주 만족도가 더 높게 나타났고, 상위계층에서 두드러지게 만족도가 높은 것으로 파악되고 있는바 소득수준이 낮은 계층의 거주 만족도 제고를 위한 소득증진 정책개발이 필요할 것으로 판단됨.

(2) 지난 3년 동안의 분야별 변화에 대한 인식

1) 전체 개괄

Q. 지난 3년 동안 광양시의 사정이 어떠하다고 생각하십니까?

		매우 나빠졌다	약간 나빠졌다	달라진게 없다	약간 좋아졌다	매우 좋아졌다	전체
지역경제	빈도	63	78	133	43	6	323
	비율	19.5	24.1	41.2	13.3	1.9	100.0
복지· 보건의료	빈도	12	33	174	96	8	323
	비율	3.7	10.2	53.9	29.7	2.5	100.0
교육	빈도	9	26	205	74	9	323
	비율	2.8	8.0	63.5	22.9	2.8	100.0
문화· 관광	빈도	15	33	182	88	6	324
	비율	4.6	10.2	56.2	27.2	1.9	100.0
교통	빈도	13	32	146	122	9	322
	비율	4.0	9.9	45.3	37.9	2.8	100.0
주거	빈도	13	24	152	125	10	324
	비율	4.0	7.4	46.9	38.6	3.1	100.0
환경	빈도	24	69	149	74	8	324
	비율	7.4	21.3	46.0	22.8	2.5	100.0

항목	지역 경제	환경	문화· 관광	교육	복지· 보건의료	교통	주거	평균
점수 (5점)	2.54	2.92	3.11	3.15	3.17	3.25	3.29	3.06

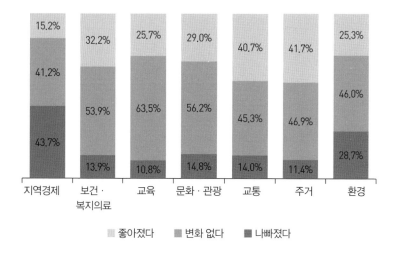

- 지역여건 변화 전반에 대해서는 지난 3년간 그다지 변화가 없다는 태도를 보이고 있으나 분야별로는 상당한 차이가 나타나고 있음.

- 주거·교통 분야에 대해서는 '좋아졌다'는 응답이 40%가 넘게 높게 나타난 반면, 지역경제·환경 분야에 대해서는 '좋아졌다'보다 '나빠졌다'는 응답이 높게 나타남.

- 특히 '지역경제'의 경우 좋아졌다 15.2%, 나빠졌다 43.7%로 큰 차이를 보이고 있어 지역경제 사정에 대한 우려가 상당한 것으로 나타난 것에 주목할 필요가 있음.

2) 분야별 변화에 대한 인식

① 지역경제

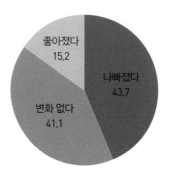

- 지역경제가 좋아졌다는 응답은 15.2%에 불과한 반면, 나빠졌다는 응답은 43.7%로 높게 나타남.

- 특히 여성 응답자의 50.9%가 나빠졌다고 응답했고, 지역별로는 골약·중마동 응답자의 65.6%가 나빠졌다고 응답하고 있어 이 지역이 다른 지역에 비해 지역경제의 어려움을 심각하게 느끼는 것으로 조사됨.

- 지역에서 가장 활발하게 소비활동이 이루어지는 중마동으로 한정하여 살펴보면 64.3%가 나빠졌다고 응답하고 있어 체감경기가 상당히 좋지 않다는 인식이 반영된 것으로 판단됨.

- 직업별로 살펴보면 좋아졌다는 응답이 1차산업 종사자와 공무원 2개의 직업군에 불과한 것으로 나타남. 나빠졌다

는 응답은 자영업(65.9%), 판매·영업·서비스직(53.1%), 전업
주부층(52.8%)의 순으로 나타나고 있음.

가. 성별 및 거주지별 분석

		나빠졌다	변화 없다	좋아졌다
전체		43.7	41.2	15.2
성별	남성	36.1	47.5	16.5
	여성	50.9	35.2	13.9
지역	광양읍, 봉강, 옥룡	36.4	45.5	18.2
	옥곡, 진상, 진월, 다압	36.4	42.4	21.2
	골약, 중마	65.6	25.6	8.9
	광영, 금호, 태인	32.4	52.9	14.7

나. 직업별 분석

		나빠졌다	변화 없다	좋아졌다
전체		43.7	41.2	15.2
직업	농업, 임업, 어업, 축산업	18.5	55.6	25.9
	자영업	65.9	24.4	9.8
	판매, 영업, 서비스직	53.1	32.7	14.3
	생산, 기능, 노무직	35.5	48.4	16.1
	사무, 기술, 전문직	41.7	51.7	6.7
	공무원	14.3	64.3	21.4
	전업주부	52.8	30.2	17.0
	학생	31.6	57.9	10.5
	무직, 퇴직, 기타	41.7	33.3	25.0

② 교육 및 복지·보건의료

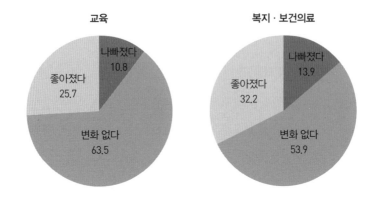

교육

나빠졌다 10.8
좋아졌다 25.7
변화 없다 63.5

복지·보건의료

나빠졌다 13.9
좋아졌다 32.2
변화 없다 53.9

	교육여건			복지·보건의료		
	나빠졌다	변화 없다	좋아졌다	나빠졌다	변화 없다	좋아졌다
20~30대	8.5	76.6	14.9	13.7	64.2	22.1
40~50대	12.4	58.4	29.2	13.8	54.4	31.9
60대 이상	10.3	57.4	32.4	14.7	38.2	47.1
전체	10.8	63.5	25.7	13.9	53.9	32.2

- 교육여건에 대해 '변화 없다'는 응답이 63.5%로 가장 높게 나타났으며, 좋아졌다 25.7%, 나빠졌다 10.8%의 순으로 나타남.
- 좋아졌다는 응답이 나빠졌다는 응답보다 높게 나타나는 데, 이는 그동안 광양시가 지역 공교육에 지속적으로 예산을 투여해온 데서 비롯된 성과적 측면이 반영된 것으로 판

단됨. 다만 이 응답은 지난 3년 동안의 변화에 대한 인식을 나타낸 것이므로 교육 전반에 대한 만족도와는 다른 것이라는 점을 인식할 필요가 있음.

- 복지·보건의료 여건에 대해서도 '변화 없다'는 응답이 53.9%로 가장 높게 나타났으며, '좋아졌다' 32.2%, '나빠졌다' 13.9%로 나타남.

- 교육여건과 복지·보건의료여건에 대한 연령별 분석 결과 연령이 높을수록 '좋아졌다'고 응답하는 비율이 높게 나타남.

③ 환경

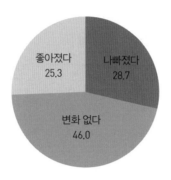

- 광양시의 환경에 대해서 물어본 결과 '변화 없다' 46.0%, '나빠졌다' 28.7%, '좋아졌다' 25.3% 순으로 응답함.

- 연령별로는 20~30대 젊은 층에서 나빠졌다는 응답이 평균보다 높게 나타남.

- 거주지역별로 살펴보면 동부 지역(골약, 중마, 광양, 금호, 태인 동)은 나빠졌다는 응답이 좋아졌다는 응답보다 높게 나타난 반면, 읍면 지역(광양읍, 봉강, 옥룡, 옥곡, 진상, 진월, 다압면)은 동부 지역과 반대로 반대로 응답한 것으로 조사됨. 이러한 지역별 응답 차이는 공단 소재지와의 근접성 차이, 환경에 대한 전반적인 인식 차이에서 비롯된 것으로 판단됨.

연령별, 거주지역별 응답 분석

		나빠졌다	변화 없다	좋아졌다
전체		28.7	46	25.3
연령	20~30대	37.9	47.4	14.7
	40~50대	21.7	49.1	29.2
	60대 이상	32.4	36.8	30.9
거주지역	광양읍, 봉강, 옥룡	14.3	53.4	32.3
	옥곡, 진상, 진월, 다압	24.2	45.5	30.3
	골약, 중마	48.9	35.6	15.6
	광영, 금호, 태인	32.4	45.6	22.1

④ 문화·관광, 주거, 교통

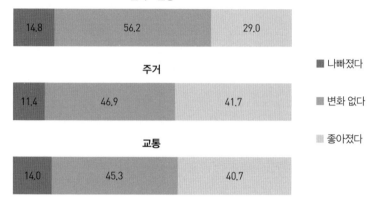

문화·관광

| 14.8 | 56.2 | 29.0 |

주거

| 11.4 | 46.9 | 41.7 |

교통

| 14.0 | 45.3 | 40.7 |

■ 나빠졌다
■ 변화 없다
▨ 좋아졌다

- 주거여건은 '변화 없다' 46.9%, '좋아졌다' 41.7%의 순으로 나타났고, 교통여건은 '변화 없다' 45.3%, '좋아졌다' 40.7%로 응답하고 있어 대체적으로 긍정적 태도를 보이고 있는 것으로 나타남.

- 그런데 문화·관광분야는 '변화 없다' 56.2%, '좋아졌다' 29.0%, '나빠졌다' 14.8% 순으로 응답하고 있어 문화·관광 분야를 발전시킬 수 있는 대안 마련에 더 많은 노력이 필요할 것으로 파악됨.

(3) 광양시민의 쇼핑·문화·여가활동 지역

Q. 쇼핑, 문화시설 이용, 여가활동 등은 주로 어디에서 하십니까?

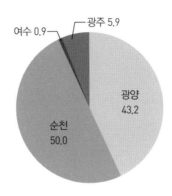

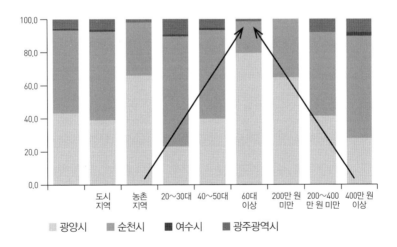

		광양시	순천시	여수시	광주광역시
	전체	43.2	50.0	0.9	5.9
거주지역	도시지역	39.1	53.3	1.1	6.6
	농촌지역	66.0	32.0	0.0	2.0
연령	20~30대	23.2	66.3	1.1	9.5
	40~50대	39.8	53.4	1.2	5.6
	60대	79.4	19.1	0.0	1.5
소득수준	200만 원 미만	64.7	35.3	0.0	0.0
	200~400만 원 미만	41.3	50.4	0.0	8.3
	400만 원 이상	27.9	61.6	2.3	8.1

- 광양시민들의 주된 소비지역은 순천시 50.0%, 광양시 43.2%로 나타났으며, 순천에 대한 소비활동 의존도가 여전히 높은 것으로 파악됨.

- 거주지별로 주된 소비지역을 살펴본 결과 도시거주자들은 순천 53.3%, 광양 39.1%인 데 비해 농촌 거주자들은 광양 66.0%, 순천 32.0%으로 나타나고 있어 도시와 농촌의 거주지에 따라 상반된 결과를 나타내었음.

- 연령별로는 연령이 낮을수록 순천 의존도가 높게 나타나고 있는 것으로 파악되었으며, 소득수준의 경우에도 응답자별 차이가 두드러지는데 소득수준이 높을수록 순천시 의존도가 더 높게 나타나고 있음.

(4) 광양 지역의 경제여건에 관한 인식

구분	광양시는 일자리가 충분하다		광양 지역의 농촌은 앞으로 발전할 가능성이 높다		광양시의 지역경제는 앞으로 발전할 가능성이 높다	
	빈도	비율(%)	빈도	비율(%)	빈도	비율(%)
매우 아니다	44	13.6	37	11.4	10	3.1
대체로 아니다	109	33.6	91	28.1	58	18.0
보통이다	117	36.1	125	38.6	135	41.8
대체로 그렇다	47	14.5	64	19.8	103	31.9
매우 그렇다	7	2.2	7	2.2	17	5.3
전체	324	100.0	324	100.0	323	100.0

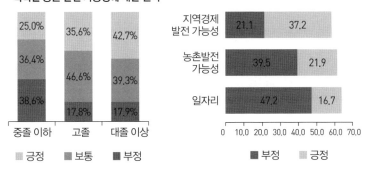

학력별 농촌 발전 가능성에 대한 인식

- 일자리에 대한 설문결과 일자리가 '충분하지 않다' 47.2%, '충분하다' 16.7%로 응답하고 있어 부정적 태도가 높게 나타나고 있음.

- 광양 농촌지역의 발전 가능성에 대해서도 부정적 응답이

39.5%인 데 비해 긍정적 응답이 21.9%로 응답하고 있어 부정적 태도가 더 높게 나타남. 그런데 학력별로 살펴본 결과 학력이 높을수록 농촌 발전 가능성에 대한 긍정적 응답 비율이 높은 것으로 파악됨.

- 광양의 지역경제 발전 가능성에 대해서는 부정 21.1%, 긍정 37.2%로 나타나고 있는데, 이는 지역경제 발전에 대한 광양 시민들의 기대심리가 응답태도에 반영된 것으로 판단됨.

(5) 광양 지역 교육여건에 관한 인식

구분	광양시는 아이를 키우고 교육시키기에 좋은 도시다		광양 지역에 교육에 관련된 기관과 시설이 충분하다	
	빈도	비율(%)	빈도(%)	비율(%)
매우 아니다	25	7.7	35	10.9
대체로 아니다	86	26.6	110	34.2
보통이다	155	48.0	125	38.8
대체로 그렇다	49	15.2	50	15.5
매우 그렇다	8	2.5	2	0.6
전체	323	100.0	322	100.0

광양시 교육여건에 대한 연령별 태도

	교육기관 및 시설 충분			교육여건 일반		
	부정	보통	긍정	부정	보통	긍정
20~30대	58.9	29.5	11.6	48.4	36.8	14.7
40~50대	42.5	40.6	16.9	30.0	50.6	19.4
60대 이상	31.3	47.8	20.9	25.0	57.4	17.6
전체	45.0	38.8	16.1	34.4	48.0	17.6

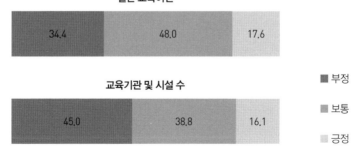

일반 교육여건

| 34.4 | 48.0 | 17.6 |

교육기관 및 시설 수

| 45.0 | 38.8 | 16.1 |

■ 부정
■ 보통
□ 긍정

- 광양의 교육여건에 대한 설문 결과 아이를 키우고 교육시키기에 좋은 도시라는 응답 17.6%, 그렇지 않다 34.4%로 나타나고 있어 부정적 태도가 긍정적 태도에 비해 매우 높게 나타남.

- 교육기관 및 시설이 '충분하다'는 응답은 16.1%, '그렇지 않다' 45.0%로 매우 부정적 태도를 보임.

- 광양 지역 교육여건에 대한 연령별 태도 차이가 크게 나타났는데 연령이 젊을수록 더 부정적 태도를 보이고 있는 것으로 파악됨.

(6) 광양 지역 균형발전에 관한 인식

Q. 광양시가 지역적으로 균형 있게 발전하고 있다고 생각하십니까?

	도시와 농촌		광양읍과 동광양	
	빈도	비율(%)	빈도	비율(%)
전혀 그렇지않다	53	16.4	58	18.1
그렇지 않은 편	178	54.9	177	55.1
그런 편이다	89	27.5	80	24.9
매우 그렇다	4	1.2	6	1.9
전체	324	100.0	321	100.0

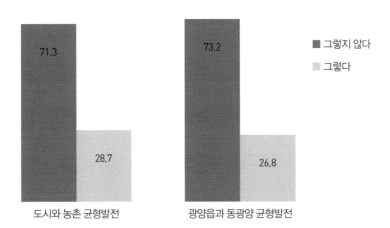

- 광양시의 균형발전 수준에 대해서 도시와 농촌, 광양읍과 동광양으로 구분하여 물은 결과 두 영역에서 모두 부정적 태도가 긍정적 태도보다 훨씬 높게 나타남.
- 도시와 농촌의 균형발전에 대해 긍정 28.7%, 부정 71.3%

로 나타났고, 광양읍과 동광양의 균형발전에 대해서는 긍정 26.8%, 부정 73.2%로 나타남.

- 도시의 균형적 발전과 사회통합을 위해서 도시와 농촌, 광양읍과 동광양 등 지역 내 균형발전을 위한 정책개발이 매우 시급한 것으로 파악됨.

(7) 광양시 발전가능성에 대한 인식

	광양시는 장기적으로 발전가능성이 높다		광양시의 인구는 지속적으로 증가할 것이다	
	빈도	비율(%)	빈도	비율(%)
매우 아니다	14	4.3	16	5.0
대체로 아니다	50	15.5	65	20.3
보통이다	112	34.8	124	38.8
대체로 그렇다	120	37.3	98	30.6
매우 그렇다	26	8.1	17	5.3
전체	322	100.0	320	100.0

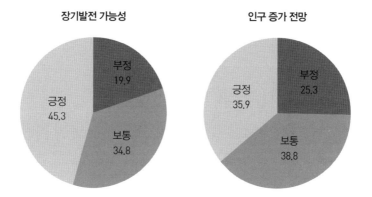

장기발전 가능성

부정 19.9
긍정 45.3
보통 34.8

인구 증가 전망

부정 25.3
긍정 35.9
보통 38.8

- 광양시 발전가능성에 대해서는 긍정 45.3%, 부정 19.9%로 나타났고, 광양시 인구증가 전망에 대해서는 긍정 35.9%, 부정 25.3%로 응답하였음.
- 응답자들의 태도를 살펴볼 때 광양시민들은 광양시의 발전 전망에 대해 비교적 낙관적으로 인식하고 있는 것으로 파악됨.

(8) 광양시의 미래상

Q. 살기 좋은 광양시를 만들기 위해 가장 적합하다고 생각되는 미래상
은 무엇입니까?

	빈도	비율(%)
경제산업도시	163	50.5
교육도시	28	8.7
복지도시	68	21.1
역사문화도시	2	0.6
관광휴양도시	33	10.2
녹색생태도시	29	9.0
전체	323	100.0

광양시 미래상에 대한 성별·연령별 인식

구분	전체	성별		연령		
		남성	여성	20~30대	40~50대	60대 이상
경제산업도시	50.5	45.6	55.2	56.8	47.5	48.5
교육도시	8.7	8.2	9.1	12.6	8.8	2.9
복지도시	21.1	27.8	14.5	9.5	23.1	32.4
역사문화도시	0.6	0.6	0.6	1.1	0.6	0.0
관광휴양도시	10.2	13.3	7.3	11.6	8.8	11.8
녹색생태도시	9.0	4.4	13.3	8.4	11.3	4.4

• 광양시의 미래상을 묻는 질문에 대해 경제산업도시
50.0%, 복지도시 21.1%, 관광휴양도시 10.2%, 녹색생태도

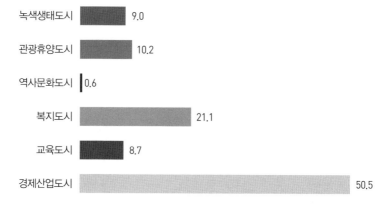

녹색생태도시 9.0
관광휴양도시 10.2
역사문화도시 0.6
복지도시 21.1
교육도시 8.7
경제산업도시 50.5

시 9.0%, 교육도시 8.7%, 역사문화도시 0.6%의 순으로 응답하였음.

- 경제산업도시라고 응답한 비율을 성별로 보면 여성 55.2%, 남성 45.6%로 여성이 남성보다 더 높게 응답함.

- 반면 복지도시를 미래상으로 응답한 경우를 성별로 보면, 남성 27.8%, 여성 14.5%로 나타남.

- 경제산업도시라는 응답을 연령별로 보면 20~30대에서 가장 높게 나타났고, 복지도시라고 응답한 경우는 60대 이상에서 가장 높게 나타나 연령에 따른 태도 차이가 나타나고 있음.

- 한편, 교육도시를 광양시의 미래성으로 응답한 비율을 살펴본 결과 연령층이 젊을수록 더 높게 응답한 것으로 나타남.

2. 광양 지역 주요 현안에 관한 인식

(1) 백운산 국립공원화에 대한 의견

	빈도	비율(%)
적극 반대	22	6.9
반대하는 편	70	21.9
찬성하는 편	172	53.8
적극 찬성	56	17.5
전체	320	100.0

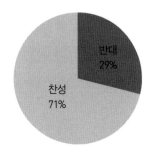

백운산 국립공원화에 대한 거주지별 인식

	찬성	반대
광양읍	70.4	29.6
본강면	66.7	33.3
옥룡면	62.5	37.5
옥곡면	55.6	44.4
진상면	100	0
진월면	100	0
다압면	60.	40.0
골약동	100.	0
중마동	63.4	36.6
광영동	51.9	48.1
태인동	87.5	12.5
금호동	93.8	6.3

- 백운산을 국립공원으로 만들자는 주장에 대해 찬성 71.3%, 반대 28.8%로 나타남.

- 지역별로 살펴보면 광양읍은 찬성 70.4%, 반대 29.6%, 중마동은 찬성 63.4%, 반대 36.6%로 나타나고 있어 대체적으로 거주지에 관계없이 국립공원화에 대해 찬성하는 비율이 높게 나타났음.

(2) 패션 아웃렛이 지역경제에 미치는 영향

	빈도	비율(%)
매우 부정적	10	3.1
부정적인 편	42	13.0
긍정적인 편	159	49.1
매우 긍정적	113	34.9
전체	324	100.0

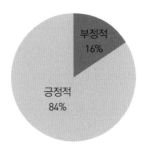

패션 아웃렛에 대한 거주지별 인식

	전체	광양읍, 봉강, 옥룡	옥곡, 진상, 진월, 다압	골약, 중마	광영, 금호, 태인
부정적	16.0	6.8	9.1	34.4	13.2
긍정적	84.0	93.2	90.9	65.6	86.8

• LF아웃렛이 광양 경제에 미치게 될 영향에 대해 물은 결과 긍정 84%, 부정 16%로 긍정적인 태도가 매우 높게 나타남.

• 거주지별로 살펴본 결과 광양읍과 인근 농촌지역은 93.2%로 나타난 데 비해 중마, 골약 등은 65.6%로 나타나 상대적으로 광양읍 주민들의 찬성비율이 더 높게 나타남. 이러한 차이는 상업시설의 분포와 이용 편의성 차이, 패션 아웃렛이 중마동 상권에 미치게 될 영향 등 다양한 요소가 응답태도에 반영된 것으로 판단됨.

(3) 동서통합지대 및 섬진강시 조성에 대한 의견

	빈도	비율(%)
적극 반대	32	9.9
반대하는 편	97	30.0
찬성하는 편	141	43.7
적극 찬성	53	16.4
전체	323	100.0

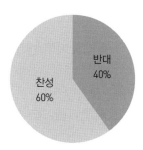

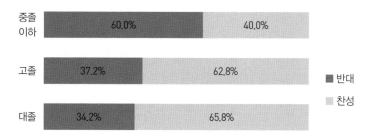

- 정치권을 중심으로 제기되고 있는 광양시를 비롯한 전남 동부 지역과 경남 서부 지역을 통합해 섬진강시로 재편하자는 주장에 대해 물은 결과 찬성 60.1%, 반대 39.9%로 찬성 비율이 더 높게 나타남.

- 찬성하겠다는 응답자를 학력별로 살펴본 결과 대졸 65.8%, 고졸 62.8%, 중졸 이하 40.0%의 순으로 학력이 높을수록 찬성비율이 더 높게 나타남.

III. 결론 - 설명 및 분석(서동용)

1. 광양시 거주 만족도

광양시 거주에 대한 만족도는 '만족한다(37.8%)'가 '불만족 (17.0%)'보다 높게 나타났는데 소득수준이 높을수록 만족도가 높게 나왔습니다. 따라서 소득과 상관없이 광양시민 전체가 누릴 수 있는 발전 전략, 복지 정책을 강구하는 한편 중하층의 소득수준을 끌어올릴 수 있는 계층별 맞춤 정책이 동시에 마련될 필요가 있습니다. 계층별로 거주 만족도를 높이는 것은 광양지역의 사회통합 차원에서도 반드시 필요한 일입니다.

2. 지역경제

지역경제의 경우 지난 3년간 '나빠졌다'고 한 응답자(43.7%)가 '좋아졌다'고 한 응답자(15.2%)보다 현저히 높았고, 특히 지역적으로는 골약·중마동에서 '나빠졌다'고 한 응답자(65.6%)가 많았으며 직업별로는 자영업자(65.9%), 판매·영업·서비스직 (53.1%)이 많았습니다. 중마동이 광양의 주 소비지역이라는 점이 반영된 것으로 보이고, 이런 점에서 기존에 제시된 기업형슈퍼마켓(SSM) 규제와 중소상인 보호 및 활성화 대책은 추상적인 구호에 그쳤고, 지역상권의 보호를 위한 현실적인 효과를 내지 못한 것으로 보입니다.

더욱이 LF아웃렛이 내년 준공을 앞두고 있는 가운데 기존의 전통시장 및 중소상권 활성화 대책에 대한 엄밀한 평가를 한 뒤 소상공인들이 피부로 느낄 수 있을 정도의 현실적이고 구체적인 대책들을 마련해야 할 것입니다. 지역상권을 보호하는 실질적인 대책 강구와 함께 우리 동네 상인들의 경쟁력을 높이기 위한 다양한 노력, 이를테면 상권의 정비를 통한 쾌적성과 편리성 제고, 상인조직의 역량 강화 및 상인 간 협업화 사업 등이 적극적으로 추진될 필요가 있습니다.

3. 보건의료

보건의료의 경우 '변화 없다'는 응답이 53.9%로 가장 높게 나타났습니다. 보건의료에 대한 주민들의 만족도가 증가하려면 기본적으로 병원 치료에 대한 의존보다는 예방적 차원에서 시민들이 건강한 식습관과 생활 습관을 갖도록 지원하는 것이 필요합니다. 이런 점에서 최근 광양시가 다압면과 옥룡면에서 실시하기로 한 '주민참여형 건강마을가꾸기 사업'은 의미 있는 시도라고 할 수 있습니다.

그러나 아직 광양은 큰 병이 날 경우 서울이 아닌 가까운 곳에서 고칠 수 있는, 골든타임을 놓치지 않고 제때 치료 받을 수 있는 의료 환경이 조성되어 있지 않습니다. 인근 순천과 여수의 환경도 크게 다르지 않습니다. 고급 의료진과 의료 시설들이 서울에 집중되어 있기 때문입니다.

따라서 전남 동부 지역에 좋은 시설과 인력을 갖춘 의대 및 공공병원이 설립되도록 힘써야 합니다. 그러기 위해서는 이웃 순천에서 추진 중인 국립보건의료대학 설립을 적극 지원해야 하고 광양만에 대형 공공병원이 세워지도록 추진해야 합니다. 이 공공병원을 중심으로 보건소와 일반 병원들이 네트워크를 구축해 광양시민들의 건강을 체계적으로 관리하고, 평생 주치의 제도를 시행해 공공의료를 강화하여 취약계층도 의료 서비스에서 소외되는 일이 없도록 해야 보건의료에 대한 만족도가 크게 높아지게 될 것입니다.

4. 쇼핑 및 아웃렛

안타깝게도 광양시민들의 소비가 광양(43.2%)보다 순천(50.0%)에서 더 많이 이루어지고 있습니다. 이는 순천이 지리적으로 가깝기 때문이기도 하고 광양보다 더 발달된 상권을 이루고 있기 때문이기도 합니다. 그러나 광양에서 장사를 하시는 시민들의 입장에서 보면 손님을 빼앗기 것이고, 또 시 차원에서도 광양시민들을 위해 쓰여야 할 세수가 순천으로 새나가고 있는 셈이지요. 곧 광양의 상권 활성화를 위해서나 세수 확대를 위해서나 광양시민들의 소비가 다른 지역이 아닌 광양에서 이루질 수 있도록, 그래서 광양의 내수가 활성화되고, 또 이것에서 생기는 세수가 광양 시민 전체를 위해 쓰이는 지역 내 선순환이 이루어지는 경제가 될 수 있도록 더 적극적이고 현실적인 대책을 마련해야 합니다.

덧붙여 말하면, 순천에 빼앗기는 광양의 세수를 다시 가져온다는 측면과 지역 발전의 측면에서는 광양에서 건설 중인 LF아웃렛은 긍정적 효과가 있습니다. 그러나 광양의 중소상권에 미치게 될 여파, 그에 따른 상권의 몰락, 세수 감소 등 부정적 측면도 적잖습니다. 더욱이 LF아웃렛의 경우 매출의 12%를 서울 본사로 가져갈 예정이어서 과연 장기적으로 광양 시민 전체의 살림살이에 어떤 영향을 미칠지에 대해 늦은 감이 있지만 심층 연구조사와 이에 대한 대책 마련(예컨대 광양시 차원에서 아웃렛의 수익이 서울 본사가 아닌 광양시 내에서 쓰일 수 있도록 관련법 및 조례 마련, 중소상인 발전기금 거두기, 아웃렛의 일자리가 하청, 비정규직이 아니라 양질의 일자리로 보장되도록 하는 협약 등)이 필요합니다.

5. 농촌 발전

농촌 발전 가능성에 대해서는 부정적 응답(39.5%)이 긍정적 응답(21.9%)보다 높게 나왔습니다. 시 차원에서 농업의 6차산업화로 농업을 육성하고, 목성지구의 로컬푸드 직매장처럼 소비자와 농민이 상생할 수 있는 로컬푸드 정책들을 장려해야 합니다. 그리고 협동조합, 사회적협동조합, 사회적 기업, 마을기업 등 농민 전체의 이익과 농민조직의 이익을 동시에 생각할 수 있는 새로운 사회적경제 비즈니스 모델을 창출하여 농가 소득을 획기적으로 제고할 수 있는 정책을 강력히 추진해야 합니다.

이런 사업들을 농민들에게 적극적으로 알려 널리 시행될 수 있도록 하는 한편, 광양시의 농업행정도 로컬푸드, 6차산업화, 사회적경제 등 변화하는 환경에 발맞추어 선진적인 농업 정책으로 전환될 필요가 있습니다. 또한 귀농귀촌 사업에 대한 평가, 귀농귀촌 인구에 대한 면밀한 수요·욕구 파악을 바탕으로 광양시 인구 증대, 농촌 인구 증대를 위한 구체적인 정책들을 모색할 필요가 있습니다.

6. 교육

교육여건의 경우는 긍정적 응답(17.6%)이 부정적 응답(34.4%)보다 낮은 것으로 나타났습니다. 교육 기관 및 시설에 대한 경우도 긍정적 응답(16.1%)이 부정적 응답(45%)보다 낮았습니다. 다만 지난 3년간 교육 여건의 변화에 대해 '좋아졌다'(25.7%)가

'나빠졌다'(10.8%)('변화 없다'는 63.5%)보다 많았다는 점에서 느리지만 점차 광양의 교육여건이 개선되고 있는 것으로 보입니다.

따라서 보편적 보육, 교육 정책에 더 많은 예산을 투입하고, 교육 우수 지역의 모범적인 정책들을 벤치마킹해 실시할 필요가 있습니다. 보육의 경우 공립 어린이집을 확충하고 무엇보다 정부와 시 차원에서 보육 교사의 열악한 처우를 개선해야 합니다. 고등학교 무상교육도 전남에서도 시행할 수 있도록 도 차원에서 협의를 시작할 필요가 있고 성남시의 무상교복 지급 같은 정책도 고려해볼 필요가 있습니다. 또한 광양백운초등학교가 2013년부터 운영해온 학습준비물센터를 광양의 모든 초등학교에도 신설하되 관리를 지금처럼 학부모의 자원봉사에 맡기는 것이 아니라 학부모를 직접 고용해 일자리도 창출하는 방안을 고려해야 합니다. 광양에도 이웃 순천에 있는 '기적의 도서관'같은 어린이 전문 도서관들을 크고 작은 형태로 많이 건립해 방과 후 아이들이 언제든지 안전한 도서관에서 편하게 책을 읽고, 숙제를 하고, 놀 수 있도록 해야 할 필요가 있습니다.

7. 균형발전

도시와 농촌, 광양읍과 동광양의 균형발전의 경우 '그렇지 않다'는 부정적 응답이 매우 높았습니다. 광양읍과 동광양의 균형 발전 문제의 경우, 지리적으로 떨어져 있는 문제도 없지 않지만 지금껏 균형발전을 위한 정책이 제대로 이루어지지 않았음을 보여줍니다. 상대적으로 발전이 크게 더디었던 광양읍은 현재 전남도립미술관 유치, 목성지구 주택단지 개발 등 발전에 유리한 조건들이 조성되고 있는 가운데 이 기회에 도심을 새롭게 바꿀 수 있도록 도심재생사업을 본격적으로 추진할 필요가 있습니다. 도심재생사업을 하려면 단지 물리적 환경 개선에 그치지 않아야 하며, 경제·사회·문화적으로 광양읍을 과거와 같이 명실상부한 중심지로 부흥시킬 수 있어야 합니다. 성공적이고 지속가능한 도심재생이 되려면 주민들의 역량을 키울 수 있는 체계적인 교육·훈련, 주민소득사업의 창출, 광양시와 주민 간의 협력관계 구축 등의 과제를 우선적으로 해결할 필요가 있습니다.

8. 주거

주거여건은 '변화 없다'가 46.0%, '좋아졌다'가 41.7%로 대체적으로 긍정적인 태도를 보였습니다. 다만 외부 인구의 유입 전망이 불투명한 상황에서 택지 개발이 계속 이루어지면 도심 공동화 현상이 우려되고, 과잉 개발에 따른 문제점도 발생할 수 있기 때문에 인구 유입 추이를 면밀히 주시하고 인구 유입 및 증대 전략을 적극 모색할 필요가 있습니다. 또한 주거 정책으로부터 소외되기 쉬운 기존 주택의 주거 환경 개선, 농촌의 노후한 주택 환경 개선 정책도 적극적으로 마련할 필요가 있습니다.

9. 동서통합지대

동서통합지대 섬진강시 조성에 대해서는 찬성이 60.1%로 반대 39.9%보다 높게 나왔습니다. 행정구역이 광역화되면 규모의 경제를 실현할 수 있고, 자족적인 도시 발전을 기대할 수 있다는 점에서 긍정적 측면이 있습니다. 그렇지만 주민자치, 풀뿌리 자치를 실현하는 측면에서 보면 극복해야 할 요소도 많습니다. 또한 행정 통합을 의미하는 섬진강시 추진은 앞서 마산, 창원, 진해가 창원시로 통합된 뒤 크고 작은 갈등들이 뒤따르고 있다는 점을 생각해볼 때 신중하게 추진할 필요도 있습니다.

따라서 행정구역 통합 논의에 앞서 우선 자치단체 간 협력사례를 단계적으로 늘려나감으로써 상생의 지역발전, 주민편의성 제고를 가져올 수 있는 모델을 적극적으로 고려할 필요가 있습니다.

서동용의 마로현 편지

1판 1쇄 인쇄 2016년 1월 5일
1판 1쇄 발행 2016년 1월 8일

지은이 서동용
펴낸이 최준석

펴낸곳 한스컨텐츠㈜
주소 (우 04047) 서울시 마포구 양화로6길 54 현대빌딩 7층
전화 02-6959-0000
출판신고번호 제313-2004-000096호 신고일자 2004년 4월 21일

ISBN 978-89-92008-61-7 (03330)